义务教育教科书

数学

九年级

上册

人民教育出版社 课程教材研究所
中学数学课程教材研究开发中心 | 编著

人民教育出版社
·北京·

主　　编：林　群

副 主 编：田载今　薛　彬　李海东

本册主编：张劲松

主要编写人员：章建跃　薛　彬　俞求是　李海东　张唯一　王玉起
　　　　　　　曹凤梅　袁芝馨　谢　慧　张　东　初　雨　黄兵彦

责任编辑：王　嵘

美术编辑：王俊宏

封面设计：吕　旻　王俊宏

插　　图：王俊宏　文鲁工作室（封面）

义务教育教科书

数　学

九年级　上册

人民教育出版社　课程教材研究所
中学数学课程教材研究开发中心　编著

*

人民教育出版社出版

（北京市海淀区中关村南大街17号院1号楼　邮编：100081）

网址：http://www.pep.com.cn

湖南出版中心重印

湖南省新华书店发行

湖南天闻新华印务有限公司印装

*

开本：787毫米×1 092毫米　1/16　印张：10　字数：168 000
2014年3月第1版　2015年6月第1次印刷（2015秋）

印数：1—50000册

ISBN 978 - 7 - 107 - 28024 - 5　定价：9.68元

本册导引

亲爱的同学，祝贺你升入九年级。

你将要学习的这本书是我们根据《义务教育数学课程标准（2011年版）》编写的教科书，这是你在七～九年级要学习的六册数学教科书中的第五册。

你已经掌握了用一元一次方程解决实际问题的方法。在解决某些实际问题时还会遇到一种新方程——一元二次方程。怎样解这种方程，并运用这种方程解决一些实际问题呢？学了"**一元二次方程**"一章，你就会获得答案。

函数是描述变化的一种数学工具，前面你已经学习了一次函数。在"**二次函数**"一章，你将认识函数家庭的另一个重要成员——二次函数，学习它的图象和性质，利用它来表示某些问题中的数量关系，解决一些实际问题，进一步提高对函数的认识和应用能力。

你已经认识了平移、轴对称等图形的变化，探索了它们的性质，并运用它们进行图案设计。本书中图形的变化又增添了一名新成员——旋转。学了"**旋转**"一章，你就可以综合运用平移、轴对称、旋转进行图案设计了，你设计出的图案会更加丰富多彩。

圆是一种常见的图形。在"**圆**"这一章，你将进一步认识圆，探索它的性质，并用这些知识解决一些实际问题。通过这一章的学习，你解决图形问题的能力将会进一步提高。

将一枚硬币抛掷一次，可能出现正面也可能出现反面，出现正面的可能性大还是出现反面的可能性大呢？学了"**概率初步**"一章，你就能更好地认识这个问题了．掌握了概率的初步知识，你还会解决更多的实际问题。

数学伴着我们成长、数学伴着我们进步、数学伴着我们成功，让我们一起随着这本书，畅游神奇、美妙的数学世界吧！

目　录

第二十一章　一元二次方程

第二十二章　二次函数

第二十三章 旋转

第二十四章 圆

第二十五章　概率初步

第二十一章 一元二次方程

在设计人体雕像时，使雕像的上部（腰以上）与下部（腰以下）的高度比，等于下部与全部（全身）的高度比，可以增加视觉美感．按此比例，如果雕像的高为 2 m，那么它的下部应设计为多高？

如图，雕像的上部高度 AC 与下部高度 BC 应有如下关系：

$$AC : BC = BC : 2,\ 即\ BC^2 = 2AC.$$

设雕像下部高 x m，可得方程 $x^2 = 2(2-x)$，整理得

$$x^2 + 2x - 4 = 0.$$

这个方程与我们学过的一元一次方程不同，其中未知数 x 的最高次数是 2．如何解这类方程？如何用这类方程解决一些实际问题？这就是本章要学习的主要内容．

21.1 一元二次方程

方程
$$x^2+2x-4=0 \qquad\qquad ①$$
中有一个未知数 x，x 的最高次数是 2. 像这样的方程有广泛的应用，请看下面的问题.

问题 1　如图 21.1-1，有一块矩形铁皮，长 100 cm，宽 50 cm，在它的四角各切去一个同样的正方形，然后将四周突出部分折起，就能制作一个无盖方盒. 如果要制作的无盖方盒的底面积为 3 600 cm²，那么铁皮各角应切去多大的正方形？

图 21.1-1

设切去的正方形的边长为 x cm，则盒底的长为 $(100-2x)$ cm，宽为 $(50-2x)$ cm. 根据方盒的底面积为 3 600 cm²，得
$$(100-2x)(50-2x)=3\ 600.$$

整理，得
$$4x^2-300x+1\ 400=0.$$

化简，得
$$x^2-75x+350=0. \qquad\qquad ②$$

由方程②可以得出所切正方形的具体尺寸.

> 方程②中未知数的个数和最高次数各是多少？

问题 2　要组织一次排球邀请赛，参赛的每两个队之间都要比赛一场. 根据场地和时间等条件，赛程计划安排 7 天，每天安排 4 场比赛，比赛组织者应邀请多少个队参赛？

全部比赛的场数为 $4\times7=28$.

设应邀请 x 个队参赛，每个队要与其他 $(x-1)$ 个队各赛一场，因为甲队对乙队的比赛和乙队对甲队的比赛是同一场比赛，所以全部比赛共 $\frac{1}{2}x(x-1)$ 场.

列方程
$$\frac{1}{2}x(x-1)=28.$$

整理，得

$$\frac{1}{2}x^2 - \frac{1}{2}x = 28.$$

化简，得

$$x^2 - x = 56. \qquad ③$$

由方程③可以得出参赛队数.

思考

方程①②③有什么共同点？

可以发现，这些方程的两边都是整式，方程中只含有一个未知数，未知数的最高次数是 2. 同样地，方程 $4x^2 = 9$，$x^2 + 3x = 0$，$3y^2 - 5y = 7 - y$ 等也是这样的方程. 像这样，等号两边都是整式，只含有一个未知数（一元），并且未知数的最高次数是 2（二次）的方程，叫做**一元二次方程**（quadratic equation in one unknown）.

一元二次方程的一般形式是

$$ax^2 + bx + c = 0 (a \neq 0).$$

其中 ax^2 是二次项，a 是二次项系数；bx 是一次项，b 是一次项系数；c 是常数项.

使方程左右两边相等的未知数的值就是这个一元二次方程的解，一元二次方程的解也叫做一元二次方程的**根**（root）.

例 将方程 $3x(x-1) = 5(x+2)$ 化成一元二次方程的一般形式，并写出其中的二次项系数、一次项系数和常数项.

解：去括号，得

$$3x^2 - 3x = 5x + 10.$$

移项，合并同类项，得一元二次方程的一般形式

$$3x^2 - 8x - 10 = 0.$$

其中二次项系数为 3，一次项系数为 -8，常数项为 -10.

1. 将下列方程化成一元二次方程的一般形式，并写出其中的二次项系数、一次项系数和常数项：

   (1) $5x^2-1=4x$；

   (2) $4x^2=81$；

   (3) $4x(x+2)=25$；

   (4) $(3x-2)(x+1)=8x-3$.

2. 根据下列问题，列出关于 x 的方程，并将所列方程化成一元二次方程的一般形式：

   (1) 4 个完全相同的正方形的面积之和是 25，求正方形的边长 x；

   (2) 一个矩形的长比宽多 2，面积是 100，求矩形的长 x；

   (3) 把长为 1 的木条分成两段，使较短一段的长与全长的积，等于较长一段的长的平方，求较短一段的长 x.

习题 21.1

复习巩固

1. 将下列方程化成一元二次方程的一般形式，并写出其中的二次项系数、一次项系数和常数项：

   (1) $3x^2+1=6x$；

   (2) $4x^2+5x=81$；

   (3) $x(x+5)=0$；

   (4) $(2x-2)(x-1)=0$；

   (5) $x(x+5)=5x-10$；

   (6) $(3x-2)(x+1)=x(2x-1)$.

2. 根据下列问题列方程，并将所列方程化成一元二次方程的一般形式：

   (1) 一个圆的面积是 2π m^2，求半径；

   (2) 一个直角三角形的两条直角边相差 3 cm，面积是 9 cm^2，求较长的直角边的长.

3. 下列哪些数是方程 $x^2+x-12=0$ 的根？

$$-4,\ -3,\ -2,\ -1,\ 0,\ 1,\ 2,\ 3,\ 4.$$

综合运用

根据下列问题列方程，并将所列方程化成一元二次方程的一般形式（第 4～6 题）：

4. 一个矩形的长比宽多 1 cm，面积是 132 cm^2，矩形的长和宽各是多少？

5. 有一根 1 m 长的铁丝，怎样用它围成一个面积为 0.06 m^2 的矩形？

6. 参加一次聚会的每两人都握了一次手，所有人共握手 10 次，有多少人参加聚会？

拓广探索

7. 如果 2 是方程 $x^2-c=0$ 的一个根，那么常数 c 是多少？求出这个方程的其他根.

21.2 解一元二次方程

21.2.1 配方法

问题 1 一桶油漆可刷的面积为 $1\ 500\ \mathrm{dm^2}$，李林用这桶油漆恰好刷完 10 个同样的正方体形状的盒子的全部外表面，你能算出盒子的棱长吗？

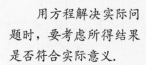

设其中一个盒子的棱长为 x dm，则这个盒子的表面积为 $6x^2\ \mathrm{dm^2}$. 根据一桶油漆可刷的面积，列出方程

$$10 \times 6x^2 = 1\ 500. \qquad ①$$

整理，得

$$x^2 = 25.$$

根据平方根的意义，得

$$x = \pm 5,$$

即

$$x_1 = 5，\ x_2 = -5.$$

可以验证，5 和 -5 是方程①的两个根，因为棱长不能是负值，所以盒子的棱长为 5 dm.

> 用方程解决实际问题时，要考虑所得结果是否符合实际意义.

一般地，对于方程

$$x^2 = p, \qquad\qquad (\text{I})$$

(1) 当 $p > 0$ 时，根据平方根的意义，方程 （I） 有两个不等的实数根

$$x_1 = -\sqrt{p}，\ x_2 = \sqrt{p}；$$

(2) 当 $p = 0$ 时，方程 （I） 有两个相等的实数根 $x_1 = x_2 = 0$；

(3) 当 $p < 0$ 时，因为对任意实数 x，都有 $x^2 \geqslant 0$，所以方程 （I） 无实数根.

探究

对照上面解方程（Ⅰ）的过程，你认为应怎样解方程 $(x+3)^2=5$？

在解方程（Ⅰ）时，由方程 $x^2=25$ 得 $x=\pm5$. 由此想到：由方程
$$(x+3)^2=5,\qquad ②$$
得
$$x+3=\pm\sqrt{5},$$
即
$$x+3=\sqrt{5}，\text{或} x+3=-\sqrt{5}.\qquad ③$$
于是，方程 $(x+3)^2=5$ 的两个根为
$$x_1=-3+\sqrt{5}，x_2=-3-\sqrt{5}.$$

上面的解法中，由方程②得到③，实质上是把一个一元二次方程"降次"，转化为两个一元一次方程，这样就把方程②转化为我们会解的方程了.

 练习

解下列方程：

(1) $2x^2-8=0$；　　(2) $9x^2-5=3$；　　(3) $(x+6)^2-9=0$；

(4) $3(x-1)^2-6=0$；　(5) $x^2-4x+4=5$；　(6) $9x^2+5=1$.

 探究

怎样解方程 $x^2+6x+4=0$？

我们已经会解方程 $(x+3)^2=5$. 因为它的左边是含有 x 的完全平方式，右边是非负数，所以可以直接降次解方程. 那么，能否将方程 $x^2+6x+4=0$ 转化为可以直接降次的形式再求解呢？

解方程 $x^2+6x+4=0$ 的过程可以用下面的框图表示：

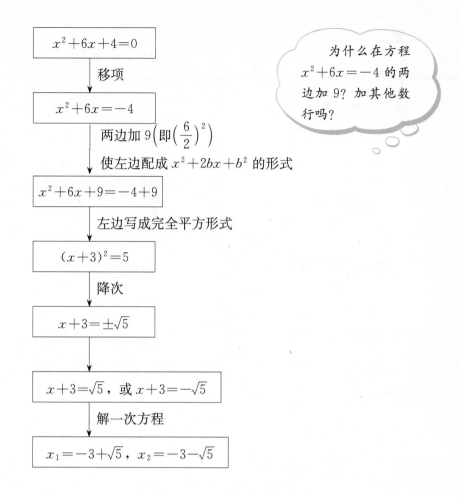

为什么在方程 $x^2+6x=-4$ 的两边加 9？加其他数行吗？

可以验证，$-3\pm\sqrt{5}$ 是方程 $x^2+6x+4=0$ 的两个根.

像上面那样，通过配成完全平方形式来解一元二次方程的方法，叫做**配方法**. 可以看出，配方是为了降次，把一个一元二次方程转化成两个一元一次方程来解.

例1 解下列方程：

(1) $x^2-8x+1=0$；　　(2) $2x^2+1=3x$；　　(3) $3x^2-6x+4=0$.

分析：(1) 方程的二次项系数为 1，直接运用配方法.

(2) 先把方程化成 $2x^2-3x+1=0$. 它的二次项系数为 2，为了便于配方，需将二次项系数化为 1，为此方程的两边都除以 2.

(3) 与(2)类似，方程的两边都除以 3 后再配方.

解：(1) 移项，得

$$x^2-8x=-1.$$

配方，得

$$x^2 - 8x + 4^2 = -1 + 4^2,$$
$$(x - 4)^2 = 15.$$

由此可得

$$x - 4 = \pm\sqrt{15},$$
$$x_1 = 4 + \sqrt{15}, \quad x_2 = 4 - \sqrt{15}.$$

（2）移项，得

$$2x^2 - 3x = -1.$$

二次项系数化为 1，得

$$x^2 - \frac{3}{2}x = -\frac{1}{2}.$$

配方，得

$$x^2 - \frac{3}{2}x + \left(\frac{3}{4}\right)^2 = -\frac{1}{2} + \left(\frac{3}{4}\right)^2,$$
$$\left(x - \frac{3}{4}\right)^2 = \frac{1}{16}.$$

由此可得

$$x - \frac{3}{4} = \pm\frac{1}{4},$$
$$x_1 = 1, \quad x_2 = \frac{1}{2}.$$

（3）移项，得

$$3x^2 - 6x = -4.$$

二次项系数化为 1，得

$$x^2 - 2x = -\frac{4}{3}.$$

配方，得

$$x^2 - 2x + 1^2 = -\frac{4}{3} + 1^2,$$
$$(x - 1)^2 = -\frac{1}{3}.$$

因为实数的平方不会是负数，所以 x 取任何实数时，$(x-1)^2$ 都是非负数，上式都不成立，即原方程无实数根.

一般地，如果一个一元二次方程通过配方转化成

$$(x+n)^2=p \tag{Ⅱ}$$

的形式，那么就有：

（1）当 $p>0$ 时，方程（Ⅱ）有两个不等的实数根

$$x_1=-n-\sqrt{p}，x_2=-n+\sqrt{p}；$$

（2）当 $p=0$ 时，方程（Ⅱ）有两个相等的实数根

$$x_1=x_2=-n；$$

（3）当 $p<0$ 时，因为对任意实数 x，都有 $(x+n)^2\geqslant 0$，所以方程（Ⅱ）无实数根.

1. 填空：

(1) x^2+10x+＿＿$=(x+$＿＿$)^2$；　　(2) x^2-12x+＿＿$=(x-$＿＿$)^2$；

(3) x^2+5x+＿＿$=(x+$＿＿$)^2$；　　(4) $x^2-\dfrac{2}{3}x+$＿＿$=(x-$＿＿$)^2$.

2. 解下列方程：

(1) $x^2+10x+9=0$；　　(2) $x^2-x-\dfrac{7}{4}=0$；

(3) $3x^2+6x-4=0$；　　(4) $4x^2-6x-3=0$；

(5) $x^2+4x-9=2x-11$；　　(6) $x(x+4)=8x+12$.

21.2.2 公式法

探究

任何一个一元二次方程都可以写成一般形式

$$ax^2+bx+c=0(a\neq 0). \tag{Ⅲ}$$

能否也用配方法得出（Ⅲ）的解呢？

我们可以根据用配方法解一元二次方程的经验来解决这个问题.

移项，得

$$ax^2+bx=-c.$$

二次项系数化为 1，得

$$x^2 + \frac{b}{a}x = -\frac{c}{a}.$$

配方，得

$$x^2 + \frac{b}{a}x + \left(\frac{b}{2a}\right)^2 = -\frac{c}{a} + \left(\frac{b}{2a}\right)^2,$$

即

$$\left(x + \frac{b}{2a}\right)^2 = \frac{b^2 - 4ac}{4a^2}. \qquad\qquad ①$$

因为 $a \neq 0$，所以 $4a^2 > 0$. 式子 $b^2 - 4ac$ 的值有以下三种情况：

（1）$b^2 - 4ac > 0$

这时 $\frac{b^2 - 4ac}{4a^2} > 0$，由①得

$$x + \frac{b}{2a} = \pm \frac{\sqrt{b^2 - 4ac}}{2a}.$$

方程有两个不等的实数根

$$x_1 = \frac{-b + \sqrt{b^2 - 4ac}}{2a}, \quad x_2 = \frac{-b - \sqrt{b^2 - 4ac}}{2a}.$$

（2）$b^2 - 4ac = 0$

这时 $\frac{b^2 - 4ac}{4a^2} = 0$，由①可知，方程有两个相等的实数根

$$x_1 = x_2 = -\frac{b}{2a}.$$

（3）$b^2 - 4ac < 0$

这时 $\frac{b^2 - 4ac}{4a^2} < 0$，由①可知 $\left(x + \frac{b}{2a}\right)^2 < 0$，而 x 取任何实数都不能使 $\left(x + \frac{b}{2a}\right)^2 < 0$，因此方程无实数根.

一般地，式子 $b^2 - 4ac$ 叫做一元二次方程 $ax^2 + bx + c = 0$ 根的**判别式**，通常用希腊字母"Δ"表示它，即 $\Delta = b^2 - 4ac$.

 归纳

　　由上可知，当 $\Delta > 0$ 时，方程 $ax^2 + bx + c = 0 (a \neq 0)$ 有两个不等的实数根；当 $\Delta = 0$ 时，方程 $ax^2 + bx + c = 0 (a \neq 0)$ 有两个相等的实数根；当 $\Delta < 0$ 时，方程 $ax^2 + bx + c = 0 (a \neq 0)$ 无实数根.

当 $\Delta \geqslant 0$ 时,方程 $ax^2 + bx + c = 0(a \neq 0)$ 的实数根可写为

$$x = \frac{-b \pm \sqrt{b^2 - 4ac}}{2a}$$

的形式,这个式子叫做一元二次方程 $ax^2 + bx + c = 0$ 的**求根公式**. 求根公式表达了用配方法解一般的一元二次方程 $ax^2 + bx + c = 0$ 的结果. 解一个具体的一元二次方程时,把各系数直接代入求根公式,可以避免配方过程而直接得出根,这种解一元二次方程的方法叫做**公式法**.

例 2 用公式法解下列方程:

(1) $x^2 - 4x - 7 = 0$; (2) $2x^2 - 2\sqrt{2}\,x + 1 = 0$;

(3) $5x^2 - 3x = x + 1$; (4) $x^2 + 17 = 8x$.

解:(1) $a = 1$, $b = -4$, $c = -7$.

$\Delta = b^2 - 4ac = (-4)^2 - 4 \times 1 \times (-7) = 44 > 0$.

方程有两个不等的实数根

确定 a,b,c 的值时,要注意它们的符号.

$$x = \frac{-b \pm \sqrt{b^2 - 4ac}}{2a}$$

$$= \frac{-(-4) \pm \sqrt{44}}{2 \times 1} = 2 \pm \sqrt{11},$$

即

$$x_1 = 2 + \sqrt{11}, \quad x_2 = 2 - \sqrt{11}.$$

(2) $a = 2$, $b = -2\sqrt{2}$, $c = 1$.

$\Delta = b^2 - 4ac = (-2\sqrt{2})^2 - 4 \times 2 \times 1 = 0$.

方程有两个相等的实数根

$$x_1 = x_2 = -\frac{b}{2a} = -\frac{-2\sqrt{2}}{2 \times 2} = \frac{\sqrt{2}}{2}.$$

(3) 方程化为 $5x^2 - 4x - 1 = 0$.

$a = 5$, $b = -4$, $c = -1$.

$\Delta = b^2 - 4ac = (-4)^2 - 4 \times 5 \times (-1) = 36 > 0$.

方程有两个不等的实数根

$$x = \frac{-b \pm \sqrt{b^2 - 4ac}}{2a} = \frac{-(-4) \pm \sqrt{36}}{2 \times 5} = \frac{4 \pm 6}{10},$$

即

$$x_1 = 1, \quad x_2 = -\frac{1}{5}.$$

（4）方程化为 $x^2 - 8x + 17 = 0$.

$a = 1$，$b = -8$，$c = 17$.

$\Delta = b^2 - 4ac = (-8)^2 - 4 \times 1 \times 17 = -4 < 0$.

方程无实数根.

回到本章引言中的问题，雕像下部高度 x（单位：m）满足方程

$$x^2 + 2x - 4 = 0.$$

用公式法解这个方程，得

$$x = \frac{-2 \pm \sqrt{2^2 - 4 \times 1 \times (-4)}}{2 \times 1} = \frac{-2 \pm \sqrt{20}}{2} = -1 \pm \sqrt{5},$$

即

$$x_1 = -1 + \sqrt{5}, \quad x_2 = -1 - \sqrt{5}.$$

如果结果保留小数点后两位，那么，$x_1 \approx 1.24$，$x_2 \approx -3.24$.

这两个根中，只有 $x_1 \approx 1.24$ 符合问题的实际意义，因此雕像下部高度应设计为约 1.24 m.

练习

1. 解下列方程：

（1）$x^2 + x - 6 = 0$；

（2）$x^2 - \sqrt{3}\, x - \frac{1}{4} = 0$；

（3）$3x^2 - 6x - 2 = 0$；

（4）$4x^2 - 6x = 0$；

（5）$x^2 + 4x + 8 = 4x + 11$；

（6）$x(2x - 4) = 5 - 8x$.

2. 求第 21.1 节中问题 1 的答案.

21.2.3 因式分解法

问题 2 根据物理学规律，如果把一个物体从地面以 10 m/s 的速度竖直上抛，那么物体经过 x s 离地面的高度（单位：m）为

$$10x - 4.9x^2.$$

根据上述规律，物体经过多少秒落回地面（结果保留小数点后两位）？

设物体经过 x s 落回地面，这时它离地面的高度为 0 m，即

$$10x - 4.9x^2 = 0. \qquad ①$$

 思考

除配方法或公式法以外，能否找到更简单的方法解方程①？

方程①的右边为 0，左边可以因式分解，得

$$x(10 - 4.9x) = 0.$$

这个方程的左边是两个一次因式的乘积，右边是 0. 我们知道，如果两个因式的积为 0，那么这两个因式中至少有一个等于 0；反之，如果两个因式中任何一个为 0，那么它们的积也等于 0. 所以

如果 $a \cdot b = 0$，那么 $a = 0$，或 $b = 0$.

$$x = 0, \text{ 或 } 10 - 4.9x = 0. \qquad ②$$

所以，方程①的两个根是

$$x_1 = 0, \quad x_2 = \frac{100}{49} \approx 2.04.$$

这两个根中，$x_2 \approx 2.04$ 表示物体约在 2.04 s 时落回地面，而 $x_1 = 0$ 表示物体被上抛离开地面的时刻，即在 0 s 时物体被抛出，此刻物体的高度是 0 m.

 思考

解方程①时，二次方程是如何降为一次的？

可以发现，上述解法中，由①到②的过程，不是用开平方降次，而是先因式分解，使方程化为两个一次式的乘积等于 0 的形式，再使这两个一次式分别等于 0，从而实现降次. 这种解一元二次方程的方法叫做因式分解法.

例 3 解下列方程:

(1) $x(x-2)+x-2=0$; (2) $5x^2-2x-\dfrac{1}{4}=x^2-2x+\dfrac{3}{4}$.

解：(1) 因式分解，得

$$(x-2)(x+1)=0.$$

于是得

$$x-2=0，或 x+1=0,$$
$$x_1=2，x_2=-1.$$

(2) 移项、合并同类项，得

$$4x^2-1=0.$$

因式分解，得

$$(2x+1)(2x-1)=0.$$

于是得

$$2x+1=0，或 2x-1=0,$$
$$x_1=-\dfrac{1}{2}，x_2=\dfrac{1}{2}.$$

可以试用多种方法解本例中的两个方程.

 归纳

配方法要先配方，再降次；通过配方法可以推出求根公式，公式法直接利用求根公式解方程；因式分解法要先将方程一边化为两个一次因式相乘，另一边为 0，再分别使各一次因式等于 0. 配方法、公式法适用于所有一元二次方程，因式分解法在解某些一元二次方程时比较简便. 总之，解一元二次方程的基本思路是：将二次方程化为一次方程，即降次.

练习

1. 解下列方程:

(1) $x^2+x=0$; (2) $x^2-2\sqrt{3}\,x=0$;

(3) $3x^2-6x=-3$; (4) $4x^2-121=0$;

(5) $3x(2x+1)=4x+2$; (6) $(x-4)^2=(5-2x)^2$.

2. 如图，把小圆形场地的半径增加 5 m 得到大圆形场地，场地面积扩大了一倍. 求小圆形场地的半径.

(第2题)

*21.2.4　一元二次方程的根与系数的关系

方程 $ax^2+bx+c=0(a\neq0)$ 的求根公式 $x=\dfrac{-b\pm\sqrt{b^2-4ac}}{2a}$，不仅表示可以由方程的系数 a，b，c 决定根的值，而且反映了根与系数之间的联系. 一元二次方程根与系数之间的联系还有其他表现方式吗?

 思考

　　从因式分解法可知，方程 $(x-x_1)(x-x_2)=0$（x_1，x_2 为已知数）的两根为 x_1 和 x_2，将方程化为 $x^2+px+q=0$ 的形式，你能看出 x_1，x_2 与 p，q 之间的关系吗?

　　把方程 $(x-x_1)(x-x_2)=0$ 的左边展开，化成一般形式，得方程
$$x^2-(x_1+x_2)x+x_1x_2=0.$$
这个方程的二次项系数为 1，一次项系数 $p=-(x_1+x_2)$，常数项 $q=x_1x_2$.

　　于是，上述方程两个根的和、积与系数分别有如下关系:
$$x_1+x_2=-p,\quad x_1x_2=q.$$

 思考

　　一般的一元二次方程 $ax^2+bx+c=0$ 中，二次项系数 a 未必是 1，它的两个根的和、积与系数又有怎样的关系呢?

　　根据求根公式可知，
$$x_1=\frac{-b+\sqrt{b^2-4ac}}{2a},\quad x_2=\frac{-b-\sqrt{b^2-4ac}}{2a}.$$

由此可得
$$x_1+x_2=\frac{-b+\sqrt{b^2-4ac}}{2a}+\frac{-b-\sqrt{b^2-4ac}}{2a}$$
$$=\frac{-2b}{2a}=-\frac{b}{a},$$
$$x_1x_2=\frac{-b+\sqrt{b^2-4ac}}{2a}\cdot\frac{-b-\sqrt{b^2-4ac}}{2a}$$

---

* 本小节内容为选学内容.

$$=\frac{(-b)^2-(b^2-4ac)}{4a^2}=\frac{c}{a}.$$

因此，方程的两个根 x_1，x_2 和系数 a，b，c 有如下关系：

$$x_1+x_2=-\frac{b}{a}, \quad x_1x_2=\frac{c}{a}.$$

把方程 $ax^2+bx+c=0$（$a\neq0$）的两边同除以 a，能否得出该结论?

这表明任何一个一元二次方程的根与系数的关系为：两个根的和等于一次项系数与二次项系数的比的相反数，两个根的积等于常数项与二次项系数的比.

例4 根据一元二次方程的根与系数的关系，求下列方程两个根 x_1，x_2 的和与积：

(1) $x^2-6x-15=0$；　　　(2) $3x^2+7x-9=0$；

(3) $5x-1=4x^2$.

解：(1) $x_1+x_2=-(-6)=6$，$x_1x_2=-15$.

(2) $x_1+x_2=-\frac{7}{3}$，$x_1x_2=\frac{-9}{3}=-3$.

(3) 方程化为 $4x^2-5x+1=0$. $x_1+x_2=-\frac{-5}{4}=\frac{5}{4}$，$x_1x_2=\frac{1}{4}$.

练习

不解方程，求下列方程两个根的和与积：

(1) $x^2-3x=15$；　　　　(2) $3x^2+2=1-4x$；

(3) $5x^2-1=4x^2+x$；　　(4) $2x^2-x+2=3x+1$.

习题 21.2

复习巩固

1. 解下列方程：

　(1) $36x^2-1=0$；　　　　(2) $4x^2=81$；

　(3) $(x+5)^2=25$；　　　　(4) $x^2+2x+1=4$.

2. 填空:

(1) x^2+6x+ _____ $=(x+$ ___ $)^2$;　　(2) x^2-x+ _____ $=(x-$ ___ $)^2$;

(3) $4x^2+4x+$ _____ $=(2x+$ ___ $)^2$;　　(4) $x^2-\dfrac{2}{5}x+$ _____ $=(x-$ ___ $)^2$.

3. 用配方法解下列方程:

(1) $x^2+10x+16=0$;　　(2) $x^2-x-\dfrac{3}{4}=0$;

(3) $3x^2+6x-5=0$;　　(4) $4x^2-x-9=0$.

4. 利用判别式判断下列方程的根的情况:

(1) $2x^2-3x-\dfrac{3}{2}=0$;　　(2) $16x^2-24x+9=0$;

(3) $x^2-4\sqrt{2}x+9=0$;　　(4) $3x^2+10=2x^2+8x$.

5. 用公式法解下列方程:

(1) $x^2+x-12=0$;　　(2) $x^2-\sqrt{2}x-\dfrac{1}{4}=0$;

(3) $x^2+4x+8=2x+11$;　　(4) $x(x-4)=2-8x$;

(5) $x^2+2x=0$;　　(6) $x^2+2\sqrt{5}x+10=0$.

6. 用因式分解法解下列方程:

(1) $3x^2-12x=-12$;　　(2) $4x^2-144=0$;

(3) $3x(x-1)=2(x-1)$;　　(4) $(2x-1)^2=(3-x)^2$.

*7. 求下列方程两个根的和与积:

(1) $x^2-3x+2=10$;　　(2) $5x^2+x-5=0$;

(3) $x^2+x=5x+6$;　　(4) $7x^2-5=x+8$.

综合运用

8. 一个直角三角形的两条直角边相差 5 cm, 面积是 7 cm². 求斜边的长.

9. 参加一次商品交易会的每两家公司之间都签订了一份合同, 所有公司共签订了 45 份合同, 共有多少家公司参加商品交易会?

10. 分别用公式法和因式分解法解方程 $x^2-6x+9=(5-2x)^2$.

11. 有一根 20 m 长的绳, 怎样用它围成一个面积为 24 m² 的矩形?

拓广探索

12. 一个凸多边形共有 20 条对角线, 它是几边形? 是否存在有 18 条对角线的多边形? 如果存在, 它是几边形? 如果不存在, 说明得出结论的道理.

13. 无论 p 取何值, 方程 $(x-3)(x-2)-p^2=0$ 总有两个不等的实数根吗? 给出答案并说明理由.

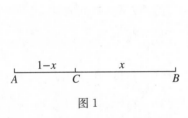
黄金分割数

本章引言中有一个关于人体雕塑的问题. 要使雕像的上部（腰以上）与下部（腰以下）的高度比, 等于下部与全部（全身）的高度比, 这个高度比应是多少？

把上面的问题一般化, 如图1, 在线段 AB 上找一个点 C, C 把 AB 分为 AC 和 CB 两段, 其中 AC 是较小的一段, 现要使 $AC:CB=CB:AB$. 为简单起见, 设 $AB=1$, $CB=x$, 则 $AC=1-x$. 代入 $AC:CB=CB:AB$, 即 $(1-x):x=x:1$, 也即 $x^2+x-1=0$. 解方程, 得 $x=\dfrac{-1\pm\sqrt{5}}{2}$.

根据问题的实际意义, 取 $x=\dfrac{\sqrt{5}-1}{2}\approx 0.618$, 这个值就是上面问题中所求的高度比.

人们把 $\dfrac{\sqrt{5}-1}{2}$ 这个数叫做黄金分割数. 如果把一条线段分为两部分, 使其中较长一段与整个线段的比是黄金分割数, 那么较短一段与较长一段的比也是黄金分割数.

图 2

图 1

五角星是常见的图案. 如图2, 在正五角星中存在黄金分割数, 可以证明其中 $\dfrac{MN}{NB}=\dfrac{BN}{BM}=\dfrac{BM}{BE}=\dfrac{\sqrt{5}-1}{2}$.

长期以来, 很多人认为黄金分割数是一个很特别的数. 一些美术家认为：如果人的上、下身长之比接近黄金分割数, 那么可以增加美感. 据说, 一些名画和雕塑中的人体大都符合这个比. 一位科学家曾提出：在一棵树的生长过程中, $\dfrac{n \text{ 年后的树枝数目}}{n+1 \text{ 年后的树枝数目}}$ 约是黄金分割数.

这是著名数学家华罗庚在日本去世前几小时做学术报告, 讲解优选法的照片. 华先生说过, 他要工作到人生的最后一刻. 他实践了自己的诺言.

优选法是一种具有广泛应用价值的数学方法, 著名数学家华罗庚曾为普及它作出重要贡献. 优选法中有一种 0.618 法应用了黄金分割数. 同学们可以查阅资料, 了解 0.618 法的应用.

21.3 实际问题与一元二次方程

同一元一次方程、二元一次方程（组）等一样，一元二次方程也可以作为反映某些实际问题中数量关系的数学模型. 本节继续讨论如何利用一元二次方程解决实际问题.

 探究1

有一个人患了流感，经过两轮传染后共有 121 个人患了流感，每轮传染中平均一个人传染了几个人？

分析：设每轮传染中平均一个人传染了 x 个人.

开始有一个人患了流感，第一轮的传染源就是这个人，他传染了 x 个人，用代数式表示，第一轮后共有_____个人患了流感；第二轮传染中，这些人中的每个人又传染了 x 个人，用代数式表示，第二轮后共有_____个人患了流感.

列方程

$$1+x+x(1+x)=121.$$

解方程，得

$$x_1=10, \quad x_2=-12 \ (不合题意，舍去).$$

平均一个人传染了 10 个人.

> 通过对这个问题的探究，你对类似的传播问题中的数量关系有新的认识吗？

 思考

如果按照这样的传染速度，经过三轮传染后共有多少个人患流感？

 探究2

两年前生产 1 t 甲种药品的成本是 5 000 元，生产 1 t 乙种药品的成本是 6 000 元. 随着生产技术的进步，现在生产 1 t 甲种药品的成本是 3 000 元，生产 1 t 乙种药品的成本是 3 600 元. 哪种药品成本的年平均下降率较大？

分析：容易求出，甲种药品成本的年平均下降额为 $(5\,000-3\,000)\div2=$ $1\,000$（元），乙种药品成本的年平均下降额为 $(6\,000-3\,600)\div2=1\,200$（元）. 显然，乙种药品成本的年平均下降额较大. 但是，年平均下降额（元）不等同于年平均下降率（百分数）.

设甲种药品成本的年平均下降率为 x，则一年后甲种药品成本为 $5\,000(1-x)$ 元，两年后甲种药品成本为 $5\,000(1-x)^2$ 元，于是有

$$5\,000(1-x)^2=3\,000.$$

解方程，得

$$x_1\approx0.225，\ x_2\approx1.775.$$

根据问题的实际意义，甲种药品成本的年平均下降率约为 22.5%.

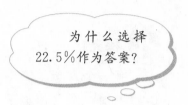

为什么选择 22.5% 作为答案？

乙种药品成本的年平均下降率是多少？请比较两种药品成本的年平均下降率.

 思考

经过计算，你能得出什么结论？成本下降额大的药品，它的成本下降率一定也大吗？应怎样全面地比较几个对象的变化状况？

 探究3

如图 21.3-1，要设计一本书的封面，封面长 27 cm，宽 21 cm，正中央是一个与整个封面长宽比例相同的矩形. 如果要使四周的彩色边衬所占面积是封面面积的四分之一，上、下边衬等宽，左、右边衬等宽，应如何设计四周边衬的宽度（结果保留小数点后一位）？

图 21.3-1

分析：封面的长宽之比是 $27：21=9：7$，中央的矩形的长宽之比也应是 $9：7$. 设中央的矩形的长和宽分别是 $9a$ cm 和 $7a$ cm，由此得上、下边衬与左、右边衬的宽度之比是

$$\frac{1}{2}(27-9a):\frac{1}{2}(21-7a)$$
$$=9(3-a):7(3-a)$$
$$=9:7.$$

设上、下边衬的宽均为 $9x$ cm，左、右边衬的宽均为 $7x$ cm，则中央的矩形的长为 $(27-18x)$cm，宽为 $(21-14x)$cm.

要使四周的彩色边衬所占面积是封面面积的四分之一，则中央的矩形的面积是封面面积的四分之三. 于是可列出方程

$$(27-18x)(21-14x)=\frac{3}{4}\times27\times21.$$

整理，得

$$16x^2-48x+9=0.$$

方程的哪个根符合实际意义？为什么？

解方程，得

$$x=\frac{6\pm3\sqrt{3}}{4}.$$

上、下边衬的宽均为_____ cm，左、右边衬的宽均为_____ cm.

 思考

如果换一种设未知数的方法，是否可以更简单地解决上面的问题？请你试一试.

习题 21.3

复习巩固

1. 解下列方程:
   (1) $x^2+10x+21=0$;　　　(2) $x^2-x-1=0$;
   (3) $3x^2+6x-4=0$;　　　(4) $3x(x+1)=3x+3$;
   (5) $4x^2-4x+1=x^2+6x+9$;　　(6) $7x^2-\sqrt{6}x-5=0$.

2. 两个相邻偶数的积是 168. 求这两个偶数.

3. 一个直角三角形的两条直角边的和是 14 cm，面积是 24 cm². 求两条直角边的长.

综合运用

4. 某种植物的主干长出若干数目的支干，每个支干又长出同样数目的小分支，主干、支干和小分支的总数是 91，每个支干长出多少小分支？

5. 一个菱形两条对角线长的和是 10 cm，面积是 12 cm²。求菱形的周长。

6. 参加足球联赛的每两队之间都进行两场比赛，共要比赛 90 场，共有多少个队参加比赛？

7. 青山村种的水稻 2010 年平均每公顷产 7 200 kg，2012 年平均每公顷产 8 450 kg。求水稻每公顷产量的年平均增长率。

8. 要为一幅长 29 cm，宽 22 cm 的照片配一个镜框，要求镜框的四条边宽度相等，且镜框所占面积为照片面积的四分之一，镜框边的宽度应是多少厘米（结果保留小数点后一位）？

拓广探索

9. 如图，要设计一幅宽 20 cm，长 30 cm 的图案，其中有两横两竖的彩条，横、竖彩条的宽度比为 3:2。如果要使彩条所占面积是图案面积的四分之一，应如何设计彩条的宽度（结果保留小数点后一位）？

（第 9 题）

10. 如图，线段 AB 的长为 1。

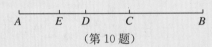

（第 10 题）

(1) 线段 AB 上的点 C 满足关系式 $AC^2 = BC \cdot AB$，求线段 AC 的长度；

(2) 线段 AC 上的点 D 满足关系式 $AD^2 = CD \cdot AC$，求线段 AD 的长度；

(3) 线段 AD 上的点 E 满足关系式 $AE^2 = DE \cdot AD$，求线段 AE 的长度。

上面各小题的结果反映了什么规律？

活动　三角点阵中前n行的点数计算

图1是一个三角点阵，从上向下数有无数多行，其中第一行有1个点，第二行有2个点……第n行有n个点……

图1

容易发现，10是三角点阵中前4行的点数和. 你能发现300是前多少行的点数的和吗？

用试验的方法，由上而下地逐行相加其点数，可以得到答案. 但是这样寻找答案需要花费较多时间. 你能用一元二次方程解决这个问题吗？

（提示：$1+2+3+\cdots+(n-2)+(n-1)+n=\dfrac{1}{2}n(n+1)$.）

三角点阵中前n行的点数和能是600吗？如果能，求出n；如果不能，试用一元二次方程说明道理.

如果把图1的三角点阵中各行的点数依次换为2，4，6，…，$2n$，…，你能探究出前n行的点数和满足什么规律吗？这个三角点阵中前n行的点数和能是600吗？如果能，求出n；如果不能，试用一元二次方程说明道理.

小　结

一、本章知识结构图

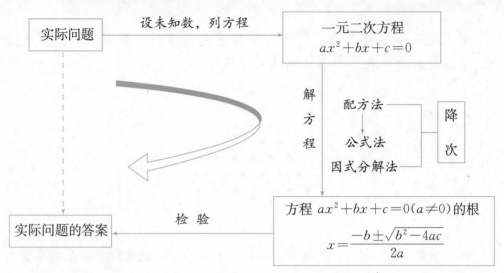

二、回顾与思考

本章主要内容是一元二次方程的解法及其应用. 一元二次方程是含有一个未知数的整式方程, 未知数的最高次数是2.

解一元二次方程的基本思想是"降次", 即通过配方、因式分解等, 把一个一元二次方程转化为两个一元一次方程来解. 具体地, 根据平方根的意义, 可得出方程 $x^2=p$ 和 $(x+n)^2=p$ 的解; 通过配方, 可将一元二次方程转化为 $(x+n)^2=p$ 的形式再解; 一元二次方程的求根公式, 就是对方程 $ax^2+bx+c=0$ $(a\neq0)$ 配方后得出的. 若能将 ax^2+bx+c 分解为两个一次因式的乘积, 则可令每个因式为 0 来解.

本章学习了一元二次方程的三种解法——配方法、公式法和因式分解法. 一般地, 配方法是推导一元二次方程求根公式的工具. 掌握了公式法, 就可以直接用公式求一元二次方程的根. 当然, 也要根据方程的具体特点选择适当的解法. 配方法是一种重要的、应用广泛的数学方法, 如后面研究二次函数时也要用到它.

一元二次方程是刻画现实世界中某些数量关系的有效数学模型. 在运用一元二次方程分析、表达和解决实际问题的过程中, 要注意体会建立数学模型解决实际问题的思想和方法.

请你带着下面的问题，复习一下全章的内容吧.

1. 比较你所学过的各种整式方程，说明它们的未知数的个数与次数. 你能写出这些方程的一般形式吗？

2. 一元二次方程有哪些解法？各种解法在什么情况下比较适用？你能说说"降次"在解一元二次方程中的作用吗？

3. 求根公式与配方法有什么关系？如何判别一元二次方程根的情况？

4. 方程 $ax^2+bx+c=0(a\neq0)$ 的两个根 x_1，x_2 与系数 a，b，c 有什么关系？我们是如何得到这种关系的？

5. 你能举例说明用一元二次方程解决实际问题的过程吗？

复习题 21

复习巩固

1. 解下列方程：

(1) $196x^2-1=0$；

(2) $4x^2+12x+9=81$；

(3) $x^2-7x-1=0$；

(4) $2x^2+3x=3$；

(5) $x^2-2x+1=25$；

(6) $x(2x-5)=4x-10$；

(7) $x^2+5x+7=3x+11$；

(8) $1-8x+16x^2=2-8x$.

2. 两个数的和为 8，积为 9.75. 求这两个数.

3. 一个矩形的长和宽相差 3 cm，面积是 4 cm². 求这个矩形的长和宽.

*4. 求下列方程两个根的和与积：

(1) $x^2-5x-10=0$；

(2) $2x^2+7x+1=0$；

(3) $3x^2-1=2x+5$；

(4) $x(x-1)=3x+7$.

综合运用

5. 一个直角梯形的下底比上底长 2 cm，高比上底短 1 cm，面积是 8 cm². 画出这个梯形.

6. 一个长方体的长与宽的比为 5 : 2，高为 5 cm，表面积为 40 cm². 画出这个长方体的展开图.

7. 要组织一次篮球联赛，赛制为单循环形式（每两队之间都赛一场），计划安排 15 场比赛，应邀请多少个球队参加比赛？

8. 如下页图，利用一面墙（墙的长度不限），用 20 m 长的篱笆，怎样围成一个面积为 50 m² 的矩形场地？

(第8题)

9. 某银行经过最近的两次降息，使一年期存款的年利率由 2.25% 降至 1.98%，平均每次降息的百分率是多少（结果写成 $a\%$ 的形式，其中 a 保留小数点后两位）？

10. 向阳村 2010 年的人均收入为 12 000 元，2012 年的人均收入为 14 520 元. 求人均收入的年平均增长率.

11. 用一条长 40 cm 的绳子怎样围成一个面积为 75 cm² 的矩形？能围成一个面积为 101 cm² 的矩形吗？如能，说明围法；如不能，说明理由.

拓广探索

12. 如图，要设计一个等腰梯形的花坛，花坛上底长 100 m，下底长 180 m，上下底相距 80 m. 在两腰中点连线处有一条横向甬道，上下底之间有两条纵向甬道，各甬道的宽度相等. 甬道的面积是梯形面积的六分之一. 甬道的宽应是多少米（结果保留小数点后两位）？

(第12题)

可利用梯形的中位线求解. 梯形的中位线是连接梯形两腰中点的线段，其长度等于两底和的一半.

13. 一个小球以 5 m/s 的速度开始向前滚动，并且均匀减速，4 s 后小球停止滚动.

(1) 小球的滚动速度平均每秒减少多少？

(2) 小球滚动 5 m 约用了多少秒（结果保留小数点后一位）？

（提示：匀变速直线运动中，每个时间段内的平均速度 $\bar{v}$（初速度与末速度的算术平均数）与路程 s，时间 t 的关系为 $s = \bar{v}t$.）

第二十二章　二次函数

　　函数是描述现实世界中变化规律的数学模型，用一次函数可以表示某些问题中变量之间的关系. 我们再来看另一些问题中变量之间的关系.

　　如果改变正方体的棱长 x，那么正方体的表面积 y 会随之改变，y 与 x 之间有什么关系？

　　从地面竖直向上抛出一小球，小球的高度 h 随小球运动时间 t 的变化而变化，h 与 t 之间有什么关系？

　　再看章前图，从喷头喷出的水珠，在空中走过一条曲线. 在这条曲线的各个位置上，水珠的竖直高度 y 与它距离喷头的水平距离 x 之间有什么关系？

　　回答上述问题就要用到二次函数. 像学习一次函数一样，本章我们首先讨论什么样的函数是二次函数，然后讨论二次函数的图象和性质，并由此加深对一元二次方程的认识，最后运用二次函数分析和解决某些实际问题. 通过上述过程，我们对函数在反映现实世界的运动变化中的作用会有进一步的体会.

22.1 二次函数的图象和性质

22.1.1 二次函数

我们看引言中正方体的表面积的问题.

正方体的六个面是全等的正方形(图 22.1-1),设正方体的棱长为 x,表面积为 y. 显然,对于 x 的每一个值,y 都有一个对应值,即 y 是 x 的函数,它们的具体关系可以表示为

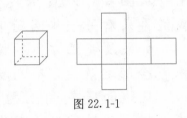

图 22.1-1

$$y = 6x^2. \qquad\qquad ①$$

我们再来看几个问题.

问题 1 n 个球队参加比赛,每两队之间进行一场比赛. 比赛的场次数 m 与球队数 n 有什么关系?

每个队要与其他 $(n-1)$ 个球队各比赛一场,甲队对乙队的比赛与乙队对甲队的比赛是同一场比赛,所以比赛的场次数

$$m = \frac{1}{2}n(n-1),$$

即

$$m = \frac{1}{2}n^2 - \frac{1}{2}n. \qquad\qquad ②$$

②式表示比赛的场次数 m 与球队数 n 的关系,对于 n 的每一个值,m 都有一个对应值,即 m 是 n 的函数.

问题 2 某种产品现在的年产量是 20 t,计划今后两年增加产量. 如果每年都比上一年的产量增加 x 倍,那么两年后这种产品的产量 y 将随计划所定的 x 的值而确定,y 与 x 之间的关系应怎样表示?

这种产品的原产量是 20 t,一年后的产量是 $20(1+x)$ t,再经过一年后的产量是 $20(1+x)(1+x)$ t,即两年后的产量

$$y = 20(1+x)^2,$$

即

$$y = 20x^2 + 40x + 20. \qquad \text{③}$$

③式表示了两年后的产量 y 与计划增产的倍数 x 之间的关系，对于 x 的每一个值，y 都有一个对应值，即 y 是 x 的函数.

思考

函数①②③有什么共同点？

在上面的问题中，函数都是用自变量的二次式表示的. 一般地，形如

$$y = ax^2 + bx + c \ (a，b，c \text{ 是常数}，a \neq 0)$$

的函数，叫做**二次函数**（quadratic function）. 其中，x 是自变量，$a，b，c$ 分别是函数解析式的二次项系数、一次项系数和常数项.

练习

1. 一个圆柱的高等于底面半径，写出它的表面积 S 与底面半径 r 之间的关系式.
2. 如图，矩形绿地的长、宽各增加 x m，写出扩充后的绿地的面积 y 与 x 的关系式.

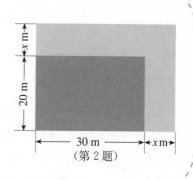
（第2题）

22.1.2 二次函数 $y = ax^2$ 的图象和性质

在八年级下册，我们学习了一次函数的概念，研究了它的图象和性质. 像研究一次函数一样，现在我们来研究二次函数的图象和性质. 结合图象讨论性质是数形结合地研究函数的重要方法. 我们将从最简单的二次函数 $y = x^2$ 开始，逐步深入地讨论一般二次函数的图象和性质.

先画二次函数 $y = x^2$ 的图象.

在 $y = x^2$ 中，自变量 x 可以是任意实数，列表表示几组对应值：

x	$\cdots$	-3	-2	-1	0	1	2	3	$\cdots$
$y = x^2$	$\cdots$	9	4	1	0	1	4	9	$\cdots$

根据表中 x, y 的数值在坐标平面中描点 (x, y)（图 22.1-2），再用平滑曲线顺次连接各点，就得到 $y = x^2$ 的图象（图 22.1-3）.

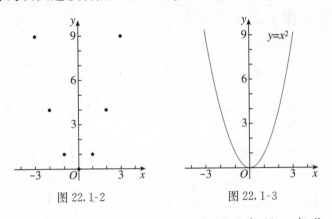

图 22.1-2   图 22.1-3

还记得如何用描点法画一个函数的图象吗?

可以看出，二次函数 $y = x^2$ 的图象是一条曲线，它的形状类似于投篮时或掷铅球时球在空中所经过的路线，只是这条曲线开口向上. 这条曲线叫做抛物线 $y = x^2$. 实际上，二次函数的图象都是抛物线，它们的开口或者向上或者向下. 一般地，二次函数 $y = ax^2 + bx + c$ 的图象叫做抛物线 $y = ax^2 + bx + c$.

还可以看出，y 轴是抛物线 $y = x^2$ 的对称轴，抛物线 $y = x^2$ 与它的对称轴的交点（0，0）叫做抛物线 $y = x^2$ 的顶点，它是抛物线 $y = x^2$ 的最低点. 实际上，每条抛物线都有对称轴，抛物线与对称轴的交点叫做抛物线的顶点. 顶点是抛物线的最低点或最高点.

从二次函数 $y = x^2$ 的图象可以看出：在对称轴的左侧，抛物线从左到右下降；在对称轴的右侧，抛物线从左到右上升. 也就是说，当 $x < 0$ 时，y 随 x 的增大而减小；当 $x > 0$ 时，y 随 x 的增大而增大.

在抛物线 $y = x^2$ 上任取一点 (m, m^2)，因为它关于 y 轴的对称点 $(-m, m^2)$ 也在抛物线 $y = x^2$ 上，所以抛物线 $y = x^2$ 关于 y 轴对称.

例1 在同一直角坐标系中，画出函数 $y = \dfrac{1}{2}x^2$，$y = 2x^2$ 的图象.

解：分别列表，再画出它们的图象（图 22.1-4）.

x	...	-4	-3	-2	-1	0	1	2	3	4	...
$y=\frac{1}{2}x^2$	...	8	4.5	2	0.5	0	0.5	2	4.5	8	...

x	...	-2	-1.5	-1	-0.5	0	0.5	1	1.5	2	...
$y=2x^2$	...	8	4.5	2	0.5	0	0.5	2	4.5	8	...

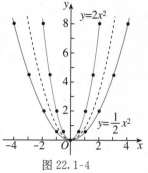

图 22.1-4

 思考

(1) 函数 $y=\frac{1}{2}x^2$，$y=2x^2$ 的图象与函数 $y=x^2$（图 22.1-4 中的虚线图形）的图象相比，有什么共同点和不同点？

(2) 当 $a>0$ 时，二次函数 $y=ax^2$ 的图象有什么特点？

一般地，当 $a>0$ 时，抛物线 $y=ax^2$ 的开口向上，对称轴是 y 轴，顶点是原点，顶点是抛物线的最低点，a 越大，抛物线的开口越小．

类似地，我们可以研究当 $a<0$ 时，二次函数 $y=ax^2$ 的图象和性质．

 探究

(1) 在同一直角坐标系中，画出函数 $y=-x^2$，$y=-\frac{1}{2}x^2$，$y=-2x^2$ 的图象，并考虑这些抛物线有什么共同点和不同点．

(2) 当 $a<0$ 时，二次函数 $y=ax^2$ 的图象有什么特点？

你画出的图象与图 22.1-5 中的图象相同吗？

一般地，当 $a<0$ 时，抛物线 $y=ax^2$ 的开口向下，对称轴是 y 轴，顶点是原点，顶点是抛物线的最高点，a 越小，抛物线的开口越小．

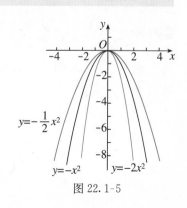

图 22.1-5

归纳

一般地，抛物线 $y=ax^2$ 的对称轴是 y 轴，顶点是原点．当 $a>0$ 时，抛物线的开口向上，顶点是抛物线的最低点；当 $a<0$ 时，抛物线的开口向下，顶点是抛物线的最高点．对于抛物线 $y=ax^2$，$|a|$ 越大，抛物线的开口越小．

从二次函数 $y=ax^2$ 的图象可以看出：如果 $a>0$，当 $x<0$ 时，y 随 x 的增大而减小，当 $x>0$ 时，y 随 x 的增大而增大；如果 $a<0$，当 $x<0$ 时，y 随 x 的增大而增大，当 $x>0$ 时，y 随 x 的增大而减小．

练习

说出下列抛物线的开口方向、对称轴和顶点：

(1) $y=3x^2$；　　　　(2) $y=-3x^2$；

(3) $y=\dfrac{1}{3}x^2$；　　　(4) $y=-\dfrac{1}{3}x^2$．

22.1.3　二次函数 $y=a(x-h)^2+k$ 的图象和性质

例2　在同一直角坐标系中，画出二次函数 $y=2x^2+1$，$y=2x^2-1$ 的图象．

解：先列表：

x	$\cdots$	-2	-1.5	-1	-0.5	0	0.5	1	1.5	2	$\cdots$
$y=2x^2+1$	$\cdots$	9	5.5	3	1.5	1	1.5	3	5.5	9	$\cdots$
$y=2x^2-1$	$\cdots$	7	3.5	1	-0.5	-1	-0.5	1	3.5	7	$\cdots$

然后描点画图，得 $y=2x^2+1$，$y=2x^2-1$ 的图象（图 22.1-6）．

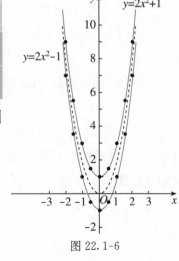

图 22.1-6

思考

（1）抛物线 $y=2x^2+1$，$y=2x^2-1$ 的开口方向、对称轴和顶点各是什么？

（2）抛物线 $y=2x^2+1$，$y=2x^2-1$ 与抛物线 $y=2x^2$ 有什么关系？

可以发现，把抛物线 $y=2x^2$ 向上平移 1 个单位长度，就得到抛物线 $y=2x^2+1$；把抛物线 $y=2x^2$ 向下平移 1 个单位长度，就得到抛物线 $y=2x^2-1$.

 思考

抛物线 $y=ax^2+k$ 与抛物线 $y=ax^2$ 有什么关系？

 练习

在同一直角坐标系中，画出下列二次函数的图象：

$$y=\frac{1}{2}x^2,\ y=\frac{1}{2}x^2+2,\ y=\frac{1}{2}x^2-2.$$

观察三条抛物线的位置关系，并分别指出它们的开口方向、对称轴和顶点．你能说出抛物线 $y=\frac{1}{2}x^2+k$ 的开口方向、对称轴和顶点吗？它与抛物线 $y=\frac{1}{2}x^2$ 有什么关系？

探究

在同一直角坐标系中，画出二次函数 $y=-\frac{1}{2}(x+1)^2$，$y=-\frac{1}{2}(x-1)^2$ 的图象，并分别指出它们的开口方向、对称轴和顶点．

先分别列表：

x	$\cdots$	-4	-3	-2	-1	0	1	2	$\cdots$
$y=-\frac{1}{2}(x+1)^2$	$\cdots$	-4.5	-2	-0.5	0	-0.5	-2	-4.5	$\cdots$

x	$\cdots$	-2	-1	0	1	2	3	4	$\cdots$
$y=-\dfrac{1}{2}(x-1)^2$	$\cdots$	-4.5	-2	-0.5	0	-0.5	-2	-4.5	$\cdots$

然后描点画图，得 $y=-\dfrac{1}{2}(x+1)^2$，$y=-\dfrac{1}{2}(x-1)^2$ 的图象（图 22.1-7）.

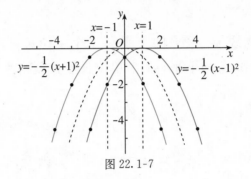

图 22.1-7

可以看出，抛物线 $y=-\dfrac{1}{2}(x+1)^2$ 的开口向下，对称轴是经过点$(-1，0)$ 且与 x 轴垂直的直线，把它记作 $x=-1$，顶点是$(-1，0)$；抛物线 $y=-\dfrac{1}{2}(x-1)^2$的开口向下，对称轴是 $x=1$，顶点是 $(1，0)$.

思考

抛物线 $y=-\dfrac{1}{2}(x+1)^2$，$y=-\dfrac{1}{2}(x-1)^2$ 与抛物线 $y=-\dfrac{1}{2}x^2$ 有什么关系？

可以发现，把抛物线 $y=-\dfrac{1}{2}x^2$ 向左平移 1 个单位长度，就得到抛物线 $y=-\dfrac{1}{2}(x+1)^2$；把抛物线 $y=-\dfrac{1}{2}x^2$ 向右平移 1 个单位长度，就得到抛物线 $y=-\dfrac{1}{2}(x-1)^2$.

抛物线 $y=a(x-h)^2$ 与抛物线 $y=ax^2$ 有什么关系?

练习

在同一直角坐标系中，画出下列二次函数的图象：

$$y=\frac{1}{2}x^2,\ y=\frac{1}{2}(x+2)^2,\ y=\frac{1}{2}(x-2)^2.$$

观察三条抛物线的位置关系，并分别指出它们的开口方向、对称轴和顶点.

例3 画出函数 $y=-\frac{1}{2}(x+1)^2-1$ 的图象，并指出它的开口方向、对称轴和顶点. 怎样移动抛物线 $y=-\frac{1}{2}x^2$ 就可以得到抛物线 $y=-\frac{1}{2}(x+1)^2-1$？

解：函数 $y=-\frac{1}{2}(x+1)^2-1$ 的图象如图 22.1-8 所示.

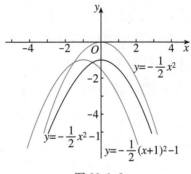

图 22.1-8

抛物线 $y=-\frac{1}{2}(x+1)^2-1$ 的开口向下，对称轴是 $x=-1$，顶点是 $(-1,-1)$.

把抛物线 $y=-\frac{1}{2}x^2$ 向下平移 1 个单位长度，再向左平移 1 个单位长度，就得到抛物线 $y=-\frac{1}{2}(x+1)^2-1$.

> 还有其他平移方法吗?

一般地，抛物线 $y=a(x-h)^2+k$ 与 $y=ax^2$ 形状相同，位置不同. 把抛物线 $y=ax^2$ 向上（下）向左（右）平移，可以得到抛物线 $y=a(x-h)^2+k$. 平移的方向、距离要根据 h，k 的值来决定.

抛物线 $y=a(x-h)^2+k$ 有如下特点：

（1）当 $a>0$ 时，开口向上；当 $a<0$ 时，开口向下.

（2）对称轴是 $x=h$.

（3）顶点是 $(h，k)$.

从二次函数 $y=a(x-h)^2+k$ 的图象可以看出：如果 $a>0$，当 $x<h$ 时，y 随 x 的增大而减小，当 $x>h$ 时，y 随 x 的增大而增大；如果 $a<0$，当 $x<h$ 时，y 随 x 的增大而增大，当 $x>h$ 时，y 随 x 的增大而减小.

我们来看一个与章前图有关的问题.

例 4　要修建一个圆形喷水池，在池中心竖直安装一根水管，在水管的顶端安一个喷水头，使喷出的抛物线形水柱在与池中心的水平距离为 1 m 处达到最高，高度为 3 m，水柱落地处离池中心 3 m，水管应多长？

解：如图 22.1-9，以水管与地面交点为原点，原点与水柱落地处所在直线为 x 轴，水管所在直线为 y 轴，建立直角坐标系.

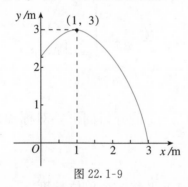

图 22.1-9

点 $(1，3)$ 是图中这段抛物线的顶点，因此可设这段抛物线对应的函数解析式是

$$y=a(x-1)^2+3(0\leqslant x\leqslant 3).$$

由这段抛物线经过点 $(3，0)$，可得

$$0=a(3-1)^2+3,$$

解得

$$a = -\frac{3}{4}.$$

因此

$$y = -\frac{3}{4}(x-1)^2 + 3 \, (0 \leqslant x \leqslant 3).$$

当 $x = 0$ 时，$y = 2.25$，也就是说，水管应 2.25 m 长.

说出下列抛物线的开口方向、对称轴和顶点：

(1) $y = 2(x+3)^2 + 5$;　　　(2) $y = -3(x-1)^2 - 2$;

(3) $y = 4(x-3)^2 + 7$;　　　(4) $y = -5(x+2)^2 - 6$.

22.1.4　二次函数 $y = ax^2 + bx + c$ 的图象和性质

先研究一个具体的二次函数 $y = \frac{1}{2}x^2 - 6x + 21$ 的图象和性质.

思考

我们已经知道二次函数 $y = a(x-h)^2 + k$ 的图象和性质，能否利用这些知识来讨论二次函数 $y = \frac{1}{2}x^2 - 6x + 21$ 的图象和性质？

配方可得：

$$y = \frac{1}{2}x^2 - 6x + 21$$
$$= \frac{1}{2}(x-6)^2 + 3.$$

根据前面的知识，我们可以先画出二次函数 $y = \frac{1}{2}x^2$ 的图象，然后把这个图象向右平移 6 个单位长度，再向上平移 3 个单位长度，得到二次函数 $y = \frac{1}{2}x^2 - 6x + 21$ 的图象.

还有其他平移方法吗？

如果直接画二次函数 $y=\dfrac{1}{2}x^2-6x+21$ 的图象，可按如下步骤进行.

由配方的结果可知，抛物线 $y=\dfrac{1}{2}x^2-6x+21$ 的顶点是 $(6，3)$，对称轴是 $x=6$.

先利用图象的对称性列表：

x	$\cdots$	3	4	5	6	7	8	9	$\cdots$
$y=\dfrac{1}{2}(x-6)^2+3$	$\cdots$	7.5	5	3.5	3	3.5	5	7.5	$\cdots$

然后描点画图，得到 $y=\dfrac{1}{2}(x-6)^2+3$ 的图象（图 22.1-10）.

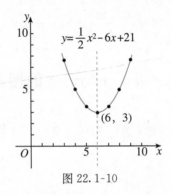

图 22.1-10

从图 22.1-10 中二次函数 $y=\dfrac{1}{2}x^2-6x+21$ 的图象可以看出：在对称轴的左侧，抛物线从左到右下降；在对称轴的右侧，抛物线从左到右上升. 也就是说，当 $x<6$ 时，y 随 x 的增大而减小；当 $x>6$ 时，y 随 x 的增大而增大.

 探究

你能用上面的方法讨论二次函数 $y=-2x^2-4x+1$ 的图象和性质吗？

一般地，二次函数 $y=ax^2+bx+c$ 可以通过配方化成 $y=a(x-h)^2+k$ 的形式，即

$$y=a\left(x+\frac{b}{2a}\right)^2+\frac{4ac-b^2}{4a}.$$

因此，抛物线 $y=ax^2+bx+c$ 的对称轴是 $x=-\dfrac{b}{2a}$，顶点是 $\left(-\dfrac{b}{2a}，\dfrac{4ac-b^2}{4a}\right)$.

如图 22.1-11，从二次函数 $y = ax^2 + bx + c$ 的图象可以看出：

如果 $a > 0$，当 $x < -\dfrac{b}{2a}$ 时，y 随 x 的增大而减小，当 $x > -\dfrac{b}{2a}$ 时，y 随 x 的增大而增大；

如果 $a < 0$，当 $x < -\dfrac{b}{2a}$ 时，y 随 x 的增大而增大，当 $x > -\dfrac{b}{2a}$ 时，y 随 x 的增大而减小．

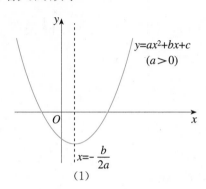
(1)

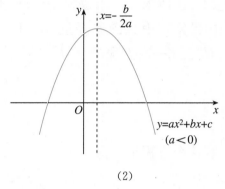
(2)

图 22.1-11

写出下列抛物线的开口方向、对称轴和顶点：

(1) $y = 3x^2 + 2x$；　　　　(2) $y = -x^2 - 2x$；

(3) $y = -2x^2 + 8x - 8$；　　(4) $y = \dfrac{1}{2}x^2 - 4x + 3$．

探究*

　　我们知道，由两点（两点的连线不与坐标轴平行）的坐标可以确定一次函数，即可以求出这个一次函数的解析式．对于二次函数，探究下面的问题：

　　(1) 由几个点的坐标可以确定二次函数？这几个点应满足什么条件？

　　(2) 如果一个二次函数的图象经过（−1，10），（1，4），（2，7）三点，能求出这个二次函数的解析式吗？如果能，求出这个二次函数的解析式．

───────────────

* 本部分内容为选学内容.

分析：(1) 确定一次函数，即写出这个一次函数的解析式 $y=kx+b$，需求出 k，b 的值. 用待定系数法，由两点（两点的连线不与坐标轴平行）的坐标，列出关于 k，b 的二元一次方程组就可以求出 k，b 的值. 类似地，确定二次函数，即写出这个二次函数的解析式 $y=ax^2+bx+c$，需求出 a，b，c 的值. 由不在同一直线上的三点（任意两点的连线不与 y 轴平行）的坐标，列出关于 a，b，c 的三元一次方程组就可以求出 a，b，c 的值.

(2) 设所求二次函数为 $y=ax^2+bx+c$.

由已知，函数图象经过 $(-1,10)$，$(1,4)$，$(2,7)$ 三点，得关于 a，b，c 的三元一次方程组

$$\begin{cases} a-b+c=10, \\ a+b+c=4, \\ 4a+2b+c=7. \end{cases}$$

解这个方程组，得

$$a=2,\ b=-3,\ c=5.$$

所求二次函数是 $y=2x^2-3x+5$.

 归纳

　　求二次函数的解析式 $y=ax^2+bx+c$，需求出 a，b，c 的值.

　　由已知条件（如二次函数图象上三个点的坐标）列出关于 a，b，c 的方程组，求出 a，b，c 的值，就可以写出二次函数的解析式.

练习

1. 一个二次函数，当自变量 $x=0$ 时，函数值 $y=-1$，当 $x=-2$ 与 $\dfrac{1}{2}$ 时，$y=0$. 求这个二次函数的解析式.

2. 一个二次函数的图象经过 $(0,0)$，$(-1,-1)$，$(1,9)$ 三点. 求这个二次函数的解析式.

复习巩固

1. 一个矩形的长是宽的 2 倍，写出这个矩形的面积关于宽的函数解析式.

2. 某种商品的价格是 2 元，准备进行两次降价. 如果每次降价的百分率都是 x，经过两次降价后的价格 y（单位：元）随每次降价的百分率 x 的变化而变化，y 与 x 之间的关系可以用怎样的函数来表示?

3. 在同一直角坐标系中，画出下列函数的图象：

$$y=4x^2, \quad y=-4x^2, \quad y=\frac{1}{4}x^2.$$

4. 分别写出抛物线 $y=5x^2$ 与 $y=-\frac{1}{5}x^2$ 的开口方向、对称轴和顶点.

5. 分别在同一直角坐标系中，描点画出下列各组二次函数的图象，并写出对称轴和顶点：

   (1) $y=\frac{1}{3}x^2+3$, $y=\frac{1}{3}x^2-2$;   (2) $y=-\frac{1}{4}(x+2)^2$, $y=-\frac{1}{4}(x-1)^2$;

   (3) $y=\frac{1}{2}(x+2)^2-2$, $y=\frac{1}{2}(x-1)^2+2$.

6. 先确定下列抛物线的开口方向、对称轴和顶点，再描点画图：

   (1) $y=-3x^2+12x-3$;   (2) $y=4x^2-24x+26$;

   (3) $y=2x^2+8x-6$;   (4) $y=\frac{1}{2}x^2-2x-1$.

综合运用

7. 填空：

   (1) 已知函数 $y=2(x+1)^2+1$，当 $x<$ ____ 时，y 随 x 的增大而减小，当 $x>$ ____ 时，y 随 x 的增大而增大；

   (2) 已知函数 $y=-2x^2+x-4$，当 $x<$ ____ 时，y 随 x 的增大而增大，当 $x>$ ____ 时，y 随 x 的增大而减小.

8. 如图，在 $\triangle ABC$ 中，$\angle B=90°$，$AB=12$ mm，$BC=24$ mm，动点 P 从点 A 开始沿边 AB 向点 B 以 2 mm/s 的速度移动，动点 Q 从点 B 开始沿边 BC 向点 C 以 4 mm/s 的速度移动. 如果 P，Q 两点分别从 A，B 两点同时出发，那么 $\triangle PBQ$ 的面积 S 随出发时间 t 如何变化? 写出 S 关于 t 的函数解析式及 t 的取值范围.

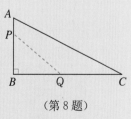

（第8题）

9. 一辆汽车的行驶距离 s（单位：m）关于行驶时间 t（单位：s）的函数解析式是 $s = 9t + \frac{1}{2}t^2$，经过 12 s 汽车行驶了多远？行驶 380 m 需要多少时间？

*10. 根据二次函数图象上三个点的坐标，求出函数的解析式：

    (1) $(-1, 3)$，$(1, 3)$，$(2, 6)$；   (2) $(-1, -1)$，$(0, -2)$，$(1, 1)$；

    (3) $(-1, 0)$，$(3, 0)$，$(1, -5)$；   (4) $(1, 2)$，$(3, 0)$，$(-2, 20)$．

*11. 抛物线 $y = ax^2 + bx + c$ 经过 $(-1, -22)$，$(0, -8)$，$(2, 8)$ 三点，求它的开口方向、对称轴和顶点．

拓广探索

12. 如图，钢球从斜面顶端由静止开始沿斜面滚下，速度每秒增加 1.5 m/s.

    (1) 写出滚动的距离 s（单位：m）关于滚动的时间 t（单位：s）的函数解析式.（提示：本题中，距离＝平均速度 $\bar{v}$×时间 t，$\bar{v} = \dfrac{v_0 + v_t}{2}$，其中，$v_0$ 是开始时的速度，v_t 是 t 秒时的速度.）

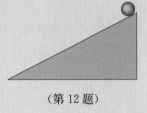

（第 12 题）

    (2) 如果斜面的长是 3 m，钢球从斜面顶端滚到底端用多长时间？

22.2 二次函数与一元二次方程

以前我们从一次函数的角度看一元一次方程，认识了一次函数与一元一次方程的联系. 本节我们从二次函数的角度看一元二次方程，认识二次函数与一元二次方程的联系. 先来看下面的问题.

问题 如图 22.2-1，以 40 m/s 的速度将小球沿与地面成 30°角的方向击出时，小球的飞行路线将是一条抛物线. 如果不考虑空气阻力，小球的飞行高度 h（单位：m）与飞行时间 t（单位：s）之间具有函数关系

$$h = 20t - 5t^2.$$

考虑以下问题：

（1）小球的飞行高度能否达到 15 m? 如果能，需要多少飞行时间?

（2）小球的飞行高度能否达到 20 m? 如果能，需要多少飞行时间?

（3）小球的飞行高度能否达到 20.5 m? 为什么?

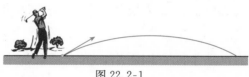

图 22.2-1

（4）小球从飞出到落地要用多少时间?

分析：由于小球的飞行高度 h 与飞行时间 t 有函数关系 $h = 20t - 5t^2$，所以可以将问题中 h 的值代入函数解析式，得到关于 t 的一元二次方程. 如果方程有合乎实际的解，则说明小球的飞行高度可以达到问题中 h 的值；否则，说明小球的飞行高度不能达到问题中 h 的值.

解：（1）解方程

$$15 = 20t - 5t^2,$$
$$t^2 - 4t + 3 = 0,$$
$$t_1 = 1,\ t_2 = 3.$$

当小球飞行 1 s 和 3 s 时，它的飞行高度为 15 m.

> 你能结合图 22.2-1 指出为什么在两个时间小球的高度为 15 m 吗?

（2）解方程

$$20=20t-5t^2,$$
$$t^2-4t+4=0,$$
$$t_1=t_2=2.$$

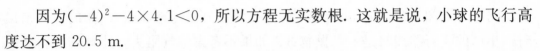

你能结合图22.2-1指出为什么只在一个时间小球的高度为 20 m 吗？

当小球飞行 2 s 时，它的飞行高度为 20 m.

（3）解方程

$$20.5=20t-5t^2,$$
$$t^2-4t+4.1=0.$$

因为 $(-4)^2-4\times4.1<0$，所以方程无实数根. 这就是说，小球的飞行高度达不到 20.5 m.

（4）小球飞出时和落地时的高度都为 0 m，解方程

$$0=20t-5t^2,$$
$$t^2-4t=0,$$
$$t_1=0, t_2=4.$$

当小球飞行 0 s 和 4 s 时，它的高度为 0 m. 这表明小球从飞出到落地要用 4 s. 从图 22.2-1 来看，0 s 时小球从地面飞出，4 s 时小球落回地面.

从上面可以看出，二次函数与一元二次方程联系密切. 例如，已知二次函数 $y=-x^2+4x$ 的值为 3，求自变量 x 的值，可以看作解一元二次方程 $-x^2+4x=3$（即 $x^2-4x+3=0$）. 反过来，解方程 $x^2-4x+3=0$ 又可以看作已知二次函数 $y=x^2-4x+3$ 的值为 0，求自变量 x 的值.

一般地，我们可以利用二次函数 $y=ax^2+bx+c$ 深入讨论一元二次方程 $ax^2+bx+c=0$.

 思考

下列二次函数的图象与 x 轴有公共点吗？如果有，公共点的横坐标是多少？当 x 取公共点的横坐标时，函数值是多少？由此，你能得出相应的一元二次方程的根吗？

（1）$y=x^2+x-2$; （2）$y=x^2-6x+9$; （3）$y=x^2-x+1$.

这些函数的图象如图 22.2-2 所示.

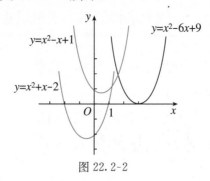

图 22.2-2

可以看出:

(1) 抛物线 $y=x^2+x-2$ 与 x 轴有两个公共点,它们的横坐标是 -2,1. 当 x 取公共点的横坐标时,函数值是 0. 由此得出方程 $x^2+x-2=0$ 的根是 -2,1.

(2) 抛物线 $y=x^2-6x+9$ 与 x 轴有一个公共点,这点的横坐标是 3. 当 $x=3$ 时,函数值是 0. 由此得出方程 $x^2-6x+9=0$ 有两个相等的实数根 3.

(3) 抛物线 $y=x^2-x+1$ 与 x 轴没有公共点. 由此可知,方程 $x^2-x+1=0$ 没有实数根.

> 反过来,由一元二次方程的根的情况,也可以确定相应的二次函数的图象与 x 轴的位置关系.

 归纳

一般地,从二次函数 $y=ax^2+bx+c$ 的图象可得如下结论.

(1) 如果抛物线 $y=ax^2+bx+c$ 与 x 轴有公共点,公共点的横坐标是 x_0,那么当 $x=x_0$ 时,函数值是 0,因此 $x=x_0$ 是方程 $ax^2+bx+c=0$ 的一个根.

(2) 二次函数 $y=ax^2+bx+c$ 的图象与 x 轴的位置关系有三种:没有公共点,有一个公共点,有两个公共点. 这对应着一元二次方程 $ax^2+bx+c=0$ 的根的三种情况:没有实数根,有两个相等的实数根,有两个不等的实数根.

由上面的结论，我们可以利用二次函数的图象求一元二次方程的根. 由于作图或观察可能存在误差，由图象求得的根，一般是近似的.

例　利用函数图象求方程 $x^2-2x-2=0$ 的实数根（结果保留小数点后一位）.

解：画出函数 $y=x^2-2x-2$ 的图象（图22.2-3），它与 x 轴的公共点的横坐标大约是 -0.7，2.7.

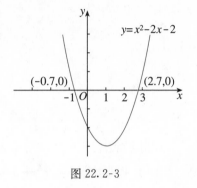

所以方程 $x^2-2x-2=0$ 的实数根为

$$x_1 \approx -0.7,\ x_2 \approx 2.7.$$

图 22.2-3

我们还可以通过不断缩小根所在的范围估计一元二次方程的根.

观察函数 $y=x^2-2x-2$ 的图象，可以发现，当自变量为 2 时的函数值小于 0（点 $(2，-2)$ 在 x 轴的下方），当自变量为 3 时的函数值大于 0（点 $(3，1)$ 在 x 轴的上方）. 因为抛物线 $y=x^2-2x-2$ 是一条连续不断的曲线，所以抛物线 $y=x^2-2x-2$ 在 $2<x<3$ 这一段经过 x 轴. 也就是说，当自变量取 2，3 之间的某个值时，函数值为 0，即方程 $x^2-2x-2=0$ 在 2，3 之间有根.

我们可以通过取平均数的方法不断缩小根所在的范围. 例如，取 2，3 的平均数 2.5，用计算器算得自变量为 2.5 时的函数值为 -0.75，与自变量为 3 时的函数值异号，所以这个根在 2.5，3 之间. 再取 2.5，3 的平均数 2.75，用计算器算得自变量为 2.75 时的函数值为 0.062 5，与自变量为 2.5 时的函数值异号，所以这个根在 2.5，2.75 之间.

重复上述步骤，我们逐步得到：这个根在 2.625，2.75 之间，在 2.687 5，2.75 之间……可以看到：根所在的范围越来越小，根所在范围的两端的值越来越接近根的值，因而可以作为根的近似值. 例如，当要求根的近似值与根的准确值的差的绝对值小于 0.1 时，由于 $|2.687\ 5-2.75|=0.062\ 5<0.1$，我们可以将 2.687 5 作为根的近似值.

你能用这种方法得出方程 $x^2-2x-2=0$ 的另一个根的近似值吗（要求根的近似值与根的准确值的差的绝对值小于 0.1）？

这种求根的近似值的方法也适用于更高次的一元方程.

习题 22.2

复习巩固

1. 已知函数 $y = x^2 - 4x + 3$.

   (1) 画出这个函数的图象;

   (2) 观察图象, 当 x 取哪些值时, 函数值为 0?

2. 用函数的图象求下列方程的解:

   (1) $x^2 - 3x + 2 = 0$;   (2) $-x^2 - 6x - 9 = 0$.

综合运用

3. 如图, 一名男生推铅球, 铅球行进高度 y (单位: m) 与水平距离 x (单位: m) 之间的关系是 $y = -\dfrac{1}{12}x^2 + \dfrac{2}{3}x + \dfrac{5}{3}$.

   (1) 画出上述函数的图象;

   (2) 观察图象, 指出铅球推出的距离.

4. 抛物线 $y = ax^2 + bx + c$ 与 x 轴的公共点是 $(-1, 0)$, $(3, 0)$, 求这条抛物线的对称轴.

(第 3 题)

拓广探索

5. 画出函数 $y = x^2 - 2x - 3$ 的图象, 利用图象回答:

   (1) 方程 $x^2 - 2x - 3 = 0$ 的解是什么;

   (2) x 取什么值时, 函数值大于 0;

   (3) x 取什么值时, 函数值小于 0.

6. 下列情形时, 如果 $a > 0$, 抛物线 $y = ax^2 + bx + c$ 的顶点在什么位置?

   (1) 方程 $ax^2 + bx + c = 0$ 有两个不等的实数根;

   (2) 方程 $ax^2 + bx + c = 0$ 有两个相等的实数根;

   (3) 方程 $ax^2 + bx + c = 0$ 无实数根.

   如果 $a < 0$ 呢?

探索二次函数的性质

用某些计算机画图软件, 可以方便地画出二次函数的图象, 进而从图象探索二次函数的性质. 如图 1, 用计算机软件画出函数 $y=x^2-2x-3$ 的图象, 拖动图象上的一点 P, 让这点沿抛物线移动, 观察动点坐标的变化, 可以发现:

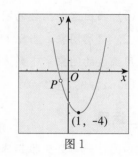

图 1

图象最低点的坐标是 $(1, -4)$, 也就是说, 当 $x=1$ 时, y 有最小值 -4;

当 $x<1$ 时, y 随 x 的增大而减小, 当 $x>1$ 时, y 随 x 的增大而增大.

又如图 2, 用计算机软件画出函数 $y=-x^2-4x-3$ 的图象, 拖动图象上的一点 P, 可以发现:

图象最高点的坐标是 $(-2, 1)$, 也就是说, 当 $x=-2$ 时, y 有最大值 1;

当 $x<-2$ 时, y 随 x 的增大而增大, 当 $x>-2$ 时, y 随 x 的增大而减小.

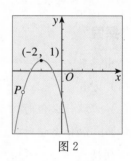

图 2

借助计算机软件的画图功能, 很容易利用二次函数的图象解一元二次方程. 要解方程 $ax^2+bx+c=0$, 只要用计算机软件画出相应抛物线 $y=ax^2+bx+c$, 再让计算机软件显示抛物线与 x 轴的公共点的坐标, 就能得出要求的方程的根. 利用图 1、图 2 中的图象试一试, 分别求出方程 $x^2-2x-3=0$, $-x^2-4x-3=0$ 的根.

22.3 实际问题与二次函数

对于某些实际问题，如果其中变量之间的关系可以用二次函数模型来刻画，那么我们就可以利用二次函数的图象和性质来研究.

问题 从地面竖直向上抛出一小球，小球的高度 h（单位：m）与小球的运动时间 t（单位：s）之间的关系式是 $h=30t-5t^2$（$0 \leqslant t \leqslant 6$）. 小球运动的时间是多少时，小球最高？小球运动中的最大高度是多少？

可以借助函数图象解决这个问题. 画出函数 $h=30t-5t^2$（$0 \leqslant t \leqslant 6$）的图象（图 22.3-1）.

可以看出，这个函数的图象是一条抛物线的一部分. 这条抛物线的顶点是这个函数的图象的最高点，也就是说，当 t 取顶点的横坐标时，这个函数有最大值.

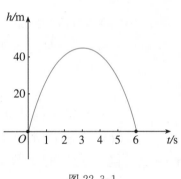

图 22.3-1

因此，当 $t=-\dfrac{b}{2a}=-\dfrac{30}{2 \times (-5)}=3$ 时，h 有最大值 $\dfrac{4ac-b^2}{4a}=\dfrac{-30^2}{4 \times (-5)}=45$. 也就是说，小球运动的时间是 3 s 时，小球最高. 小球运动中的最大高度是 45 m.

一般地，当 $a>0$（$a<0$）时，抛物线 $y=ax^2+bx+c$ 的顶点是最低（高）点，也就是说，当 $x=-\dfrac{b}{2a}$ 时，二次函数 $y=ax^2+bx+c$ 有最小（大）值 $\dfrac{4ac-b^2}{4a}$.

我们再来解决一些实际问题.

 探究1

用总长为 60 m 的篱笆围成矩形场地，矩形面积 S 随矩形一边长 l 的变化而变化. 当 l 是多少米时，场地的面积 S 最大？

分析：先写出 S 关于 l 的函数解析式，再求出使 S 最大的 l 值.

矩形场地的周长是 60 m，一边长为 l m，所以另一边长为 $\left(\dfrac{60}{2}-l\right)$ m. 场地的面积

$$S=l(30-l),$$

即

$$S=-l^2+30l \quad (0<l<30).$$

因此，当 $l=-\dfrac{b}{2a}=-\dfrac{30}{2\times(-1)}=15$ 时，S 有最大值 $\dfrac{4ac-b^2}{4a}=\dfrac{-30^2}{4\times(-1)}=225$.
也就是说，当 l 是 15 m 时，场地的面积 S 最大.

 探究2

　　某商品现在的售价为每件 60 元，每星期可卖出 300 件. 市场调查反映：如调整价格，每涨价 1 元，每星期要少卖出 10 件；每降价 1 元，每星期可多卖出 20 件. 已知商品的进价为每件 40 元，如何定价才能使利润最大？

　　分析：调整价格包括涨价和降价两种情况. 我们先来看涨价的情况.

　　（1）设每件涨价 x 元，则每星期售出商品的利润 y 随之变化. 我们先来确定 y 随 x 变化的函数解析式. 涨价 x 元时，每星期少卖 $10x$ 件，实际卖出 $(300-10x)$ 件，销售额为 $(60+x)(300-10x)$ 元，买进商品需付 $40(300-10x)$ 元. 因此，所得利润

$$y=(60+x)(300-10x)-40(300-10x),$$

即

$$y=-10x^2+100x+6\,000,$$

其中，$0\leqslant x\leqslant 30$.

> 怎样确定 x 的取值范围？

　　根据上面的函数，填空：

　　当 $x=$＿＿时，y 最大，也就是说，在涨价的情况下，涨价＿＿元，即定价＿＿＿元时，利润最大，最大利润是＿＿＿＿＿.

　　（2）在降价的情况下，最大利润是多少？请你参考（1）的讨论，自己得出答案.

　　由（1）（2）的讨论及现在的销售状况，你知道应如何定价能使利润最大了吗？

图 22.3-2 中是抛物线形拱桥,当拱顶离
水面 2 m 时,水面宽 4 m. 水面下降 1 m,水
面宽度增加多少?

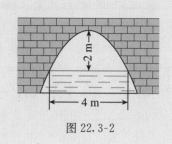

图 22.3-2

分析:我们知道,二次函数的图象是抛物线,
建立适当的坐标系,就可以求出这条抛物线表示
的二次函数. 为解题简便,以抛物线的顶点为原
点,以抛物线的对称轴为 y 轴建立直角坐标系
(图 22.3-3).

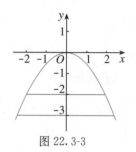

图 22.3-3

设这条抛物线表示的二次函数为 $y = ax^2$.

由抛物线经过点 $(2,-2)$,可得

$$-2 = a \times 2^2,$$

$$a = -\frac{1}{2}.$$

这条抛物线表示的二次函数为 $y = -\frac{1}{2}x^2$.

当水面下降 1 m 时,水面的纵坐标为 -3. 请你根据上面的函数解析式求出
这时的水面宽度.

水面下降 1 m,水面宽度增加_____ m.

习题 22.3

复习巩固

1. 下列抛物线有最高点或最低点吗? 如果有,写出这些点的坐标:

(1) $y = -4x^2 + 3x$;   (2) $y = 3x^2 + x + 6$.

2. 某种商品每件的进价为 30 元,在某段时间内若以每件 x 元出售,可卖出
$(100-x)$ 件,应如何定价才能使利润最大?

3. 飞机着陆后滑行的距离 s（单位：m）关于滑行的时间 t（单位：s）的函数解析式是 $s = 60t - 1.5t^2$. 飞机着陆后滑行多远才能停下来？

4. 已知直角三角形两条直角边的和等于8，两条直角边各为多少时，这个直角三角形的面积最大？最大值是多少？

5. 如图，四边形 $ABCD$ 的两条对角线 AC，BD 互相垂直，$AC + BD = 10$. 当 AC，BD 的长是多少时，四边形 $ABCD$ 的面积最大？

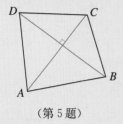

（第5题）

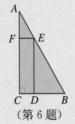

（第6题）

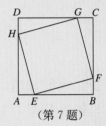

（第7题）

综合运用

6. 一块三角形材料如图所示，$\angle A = 30°$，$\angle C = 90°$，$AB = 12$. 用这块材料剪出一个矩形 $CDEF$，其中，点 D，E，F 分别在 BC，AB，AC 上. 要使剪出的矩形 $CDEF$ 的面积最大，点 E 应选在何处？

7. 如图，点 E，F，G，H 分别位于正方形 $ABCD$ 的四条边上. 四边形 $EFGH$ 也是正方形. 当点 E 位于何处时，正方形 $EFGH$ 的面积最小？

8. 某宾馆有50个房间供游客居住. 当每个房间每天的定价为180元时，房间会全部住满；当每个房间每天的定价每增加10元时，就会有一个房间空闲. 如果游客居住房间，宾馆需对每个房间每天支出20元的各种费用. 房价定为多少时，宾馆利润最大？

拓广探索

9. 分别用定长为 L 的线段围成矩形和圆，哪种图形的面积大？为什么？

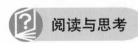
阅读与思考

推测滑行距离与滑行时间的关系

一个滑雪者从山坡滑下，为了得出滑行距离 s（单位：m）与滑行时间 t（单位：s）之间的关系式，测得一些数据（如下页表）.

滑行时间 t/s	0	1	2	3	4
滑行距离 s/m	0	4.5	14	28.5	48

为观察 s 与 t 之间的关系，建立坐标系，以 t 为横坐标，s 为纵坐标，描出表中数据对应的 5 个点，并用平滑曲线连接它们（图 1）. 可以看出，这条曲线像是抛物线的一部分. 于是，我们用二次函数来近似地表示 s 与 t 的关系.

设 $s = at^2 + bt + c$. 因为当 $t = 0$ 时，$s = 0$，所以 $a \times 0 + b \times 0 + c = 0$，得 $c = 0$.

又当 $t = 1$ 时，$s = 4.5$；当 $t = 2$ 时，$s = 14$，即

$$\begin{cases} a + b = 4.5, \\ 2^2 a + 2b = 14. \end{cases}$$

解得

$$\begin{cases} a = 2.5, \\ b = 2. \end{cases}$$

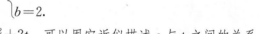

图 1

这样我们得到二次函数 $s = 2.5t^2 + 2t$，可以用它近似描述 s 与 t 之间的关系.

上面我们根据实际问题中的有关数据，数形结合地求出表示变量间关系的函数，这属于建立模拟函数描述实际问题. 有时这样的函数可能只是近似地反映实际规律，但是它对认识事物有一定作用.

数 学 活 动

（1）观察下列两个两位数的积（两个乘数的十位上的数都是9，个位上的数的和等于10），猜想其中哪个积最大.

$$91×99，92×98，…，98×92，99×91.$$

（2）观察下列两个三位数的积（两个乘数的百位上的数都是9，十位上的数与个位上的数组成的数的和等于100），猜想其中哪个积最大.

$$901×999，902×998，…，998×902，999×901.$$

对于（1）（2），你能用二次函数的知识说明你的猜想正确吗？

（1）如图1，在平面直角坐标系中，点 A 的坐标是（0，2）.在 x 轴上任取一点 M，完成以下作图步骤：

①连接 AM，作线段 AM 的垂直平分线 l_1，过点 M 作 x 轴的垂线 l_2，记 l_1，l_2 的交点为 P.

②在 x 轴上多次改变点 M 的位置，用①的方法得到相应的点 P，把这些点用平滑的曲线连接起来.

观察画出的曲线 L，猜想它是我们学过的哪种曲线.

（2）对于曲线 L 上任意一点 P，线段 PA 与 PM 有什么关系？设点 P 的坐标是（x，y），你能由 PA 与 PM 的关系得到 x，y 满足的关系式吗？你能由此确定曲线 L 是哪种曲线吗？你得出的结论与先前你的猜想一样吗？（提示：根据勾股定理用含 x，y 的式子表示线段 PA 的长.）

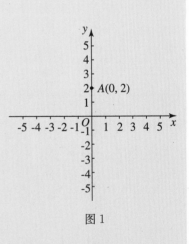

图1

小 结

一、本章知识结构图

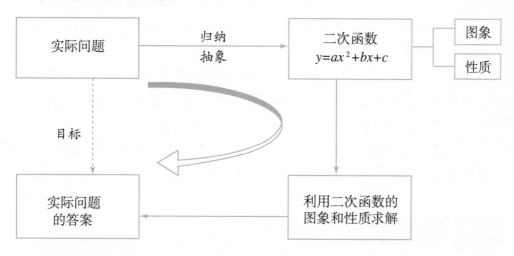

二、回顾与思考

本章我们首先认识了二次函数，研究了它的图象与性质，然后从函数的角度对一元二次方程又进行了讨论，最后运用二次函数分析和解决了一些实际问题.

我们按从简单到复杂、从特殊到一般的顺序，讨论了二次函数的图象和性质：先讨论函数 $y=ax^2$ 的图象和性质；再将函数 $y=ax^2$ 的图象上下、左右平移就得到 $y=a(x-h)^2+k$ 的图象，并观察图象得到性质；又通过配方，将函数 $y=ax^2+bx+c$ 化成 $y=a(x-h)^2+k$ 的形式，从而把问题转化成已解决的问题. 在此过程中，配方、图象平移等起着重要作用. 借助二次函数的图象得到它的性质，又一次体现了数形结合思想，让我们领悟到几何直观的作用.

二次函数 $y=ax^2+bx+c$ 的图象与 x 轴的位置关系，与一元二次方程 $ax^2+bx+c=0$ 的根的情形有密切联系. 如果函数图象与 x 轴有公共点，那么公共点的横坐标就是方程的根. 揭示这些联系可以加深对一元二次方程的认识.

运用二次函数解决实际问题，首先要用二次函数表示问题中变量之间的关系，然后利用二次函数的图象与性质求解，从而获得实际问题的答案. 对此，可以结合本章知识结构图加以体会.

请你带着下面的问题，复习一下全章的内容吧.

1. 举例说明，一些实际问题中变量之间的关系可以用二次函数表示，列出函数解析式并画出图象.

2. 结合二次函数的图象回顾二次函数的性质，例如根据抛物线的开口方向、顶点，说明二次函数在什么情况下取得最大（小）值.

3. 结合抛物线 $y=ax^2+bx+c$ 与 x 轴的位置关系，说明方程 $ax^2+bx+c=0$ 的根的各种情况.

4. 在日常生活、生产和科研中，常常会遇到求什么条件下可以使材料最省、时间最少、效率最高等问题，其中一些问题可以归结为求二次函数的最大值或最小值. 请举例说明如何分析、解决这样的问题.

5. 回顾一次函数和二次函数，体会函数这种数学模型在反映现实世界的运动变化中的作用.

复习题 22

复习巩固

1. 如图，正方形 $ABCD$ 的边长是 4. E 是 AB 上一点，F 是 AD 延长线上的一点，$BE=DF$. 四边形 $AEGF$ 是矩形，矩形 $AEGF$ 的面积 y 随 BE 的长 x 的变化而变化，y 与 x 之间的关系可以用怎样的函数来表示？

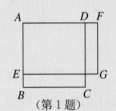
（第1题）

2. 某商场第 1 年销售计算机 5 000 台，如果每年的销售量比上一年增加相同的百分率 x，写出第 3 年的销售量 y 关于每年增加的百分率 x 的函数解析式.

3. 选择题.

在抛物线 $y=x^2-4x-4$ 上的一个点是（　　　）.

(A) $(4, 4)$ 　　　　　(B) $(3, -1)$

(C) $(-2, -8)$ 　　　(D) $\left(-\dfrac{1}{2}, -\dfrac{7}{4}\right)$

4. 先确定下列抛物线的开口方向、对称轴和顶点，再描点画图：

(1) $y=x^2+2x-3$; 　　　(2) $y=1+6x-x^2$;

(3) $y=\dfrac{1}{2}x^2+2x+1$; 　　(4) $y=-\dfrac{1}{4}x^2+x-4$.

5. 汽车刹车后行驶的距离 s（单位：m）关于行驶的时间 t（单位：s）的函数解析式是 $s=15t-6t^2$. 汽车刹车后到停下来前进了多远？

综合运用

*6. 根据下列条件,分别确定二次函数的解析式:

(1) 抛物线 $y=ax^2+bx+c$ 过点 $(-3,2)$,$(-1,-1)$,$(1,3)$;

(2) 抛物线 $y=ax^2+bx+c$ 与 x 轴的两交点的横坐标分别是 $-\dfrac{1}{2}$,$\dfrac{3}{2}$,与 y 轴交点的纵坐标是 -5.

7. 如图,用一段长为 30 m 的篱笆围成一个一边靠墙的矩形菜园,墙长为 18 m. 这个矩形的长、宽各为多少时,菜园的面积最大?最大面积是多少?

8. 已知矩形的周长为 36 cm,矩形绕它的一条边旋转形成一个圆柱. 矩形的长、宽各为多少时,旋转形成的圆柱的侧面积最大?

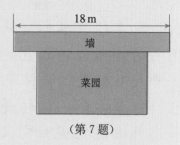

(第 7 题)

拓广探索

9. 如图,点 E,F,G,H 分别在菱形 $ABCD$ 的四条边上,$BE=BF=DG=DH$,连接 EF,FG,GH,HE,得到四边形 $EFGH$.

(1) 求证:四边形 $EFGH$ 是矩形.

(2) 设 $AB=a$,$\angle A=60°$,当 BE 为何值时,矩形 $EFGH$ 的面积最大?

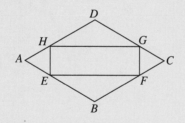

(第 9 题)

10. 对某条路线的长度进行 n 次测量,得到 n 个结果 x_1,x_2,$\cdots$,x_n. 如果用 x 作为这条路线长度的近似值,当 x 取什么值时,$(x-x_1)^2+(x-x_2)^2+\cdots+(x-x_n)^2$ 最小?x 所取的这个值是哪个常用的统计量?

第二十三章　旋转

　　同学们都见过风车吧，它能在风的吹动下不停地转动．在我们周围，还能看到许多转动着的物体，如车轮、水车、风力发电机、飞机的螺旋桨、时钟的指针、游乐园的大转盘……我们就生活在一个处处能见到旋转现象的世界中．

　　在数学中，旋转是图形变化的方法之一，应该怎样描述它呢？它又有什么性质呢？本章将解答这些问题．另外，本章还要学习与旋转密切相关的中心对称知识，并应用平移、轴对称和旋转等方法进行图案设计，由此可以加深对图形变化的综合认识．

　　让我们一起来探索旋转的奥秘吧！

23.1 图形的旋转

思考

如图 23.1-1，钟表的指针在不停地转动，从 3 时到 5 时，时针转动了多少度？

图 23.1-1

图 23.1-2

如图 23.1-2，风车风轮的每个叶片在风的吹动下转动到新的位置.

以上这些现象有什么共同特点呢？

我们可以把上面问题中的指针、叶片等看作平面图形. 像这样，把一个平面图形绕着平面内某一点 O 转动一个角度，叫做图形的旋转（rotation），点 O 叫做旋转中心，转动的角叫做旋转角. 如果图形上的点 P 经过旋转变为点 P'，那么这两个点叫做这个旋转的对应点. 例如，图 23.1-1 中，时针在旋转，表盘的中心是旋转中心，旋转角是 $60°$，时针的端点在 3 时的位置 P 与在 5 时的位置 P' 是对应点.

练习

1. 请你举出一些现实生活、生产中旋转的实例，并指出旋转中心和旋转角.

2. 时钟的时针在不停地旋转，从上午 6 时到上午 9 时，时针旋转的旋转角是多少度？从上午 9 时到上午 10 时呢？

3. 如图，杠杆绕支点转动撬起重物，杠杆的旋转中心在哪里？旋转角是哪个角？

（第 3 题）

如图 23.1-3，在硬纸板上，挖一个三角形洞，再另挖一个小洞 O 作为旋转中心，硬纸板下面放一张白纸. 先在纸上描出这个挖掉的三角形图案（△ABC），然后围绕旋转中心转动硬纸板，再描出这个挖掉的三角形（△$A'B'C'$），移开硬纸板.

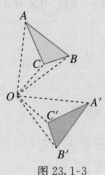

图 23.1-3

△$A'B'C'$ 是由△ABC 绕点 O 旋转得到的. 线段 OA 与 OA' 有什么关系？∠AOA' 与∠BOB' 有什么关系？△ABC 与△$A'B'C'$ 的形状和大小有什么关系？

 归纳

旋转的性质：

对应点到旋转中心的距离相等.

对应点与旋转中心所连线段的夹角等于旋转角.

旋转前、后的图形全等.

例 如图 23.1-4，E 是正方形 $ABCD$ 中 CD 边上任意一点，以点 A 为中心，把△ADE 顺时针旋转 $90°$，画出旋转后的图形.

分析：关键是确定△ADE 三个顶点的对应点，即它们旋转后的位置.

解：因为点 A 是旋转中心，所以它的对应点是它本身.

正方形 $ABCD$ 中，$AD = AB$，∠$DAB = 90°$，所以旋转后点 D 与点 B 重合.

设点 E 的对应点为点 E'. 因为旋转后的图形与旋转前的图形全等，所以

∠$ABE' = $∠$ADE = 90°$，$BE' = DE$.

因此，在 CB 的延长线上取点 E'，使 $BE' = DE$，则△ABE' 为旋转后的图形（图 23.1-5）.

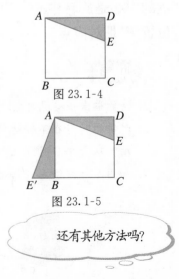

图 23.1-4

图 23.1-5

还有其他方法吗？

1. 如图，小明坐在秋千上，秋千旋转了 80°. 请在图中小明身上任意选一点 P，利用旋转性质，标出点 P 的对应点.

   （1）这两个点到旋转中心的距离有怎样的关系？

   （2）这两个点与旋转中心所连线段的夹角是多少度？

（第 1 题）　　　　　　（第 2 题）　　　　　　（第 3 题）

2. 如图，用左面的三角形经过怎样的旋转，可以得到右面的图形？

3. 找出图中扳手拧螺母时的旋转中心和旋转角.

　　选择不同的旋转中心、不同的旋转角旋转同一个图案（图 23.1-6），会出现不同的效果.

　　图 23.1-7 的两个旋转中，旋转中心不变，旋转角改变了，产生了不同的旋转效果.

图 23.1-6

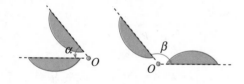

图 23.1-7　　　　　　　　　　　　　　　图 23.1-8

　　图 23.1-8 的两个旋转中，旋转角不变，旋转中心改变了，产生了不同的旋转效果.

　　我们可以借助旋转设计出许多美丽的图案（图 23.1-9）.

图 23.1-9

把一个三角形进行旋转:

(1) 选择不同的旋转中心、不同的旋转角,看看旋转的效果;

(2) 改变三角形的形状,看看旋转的效果.

习题 23.1

复习巩固

1. 任意画一个△ABC,作下列旋转:

   (1) 以点 A 为中心,把△ABC 逆时针旋转 40°;

   (2) 以点 B 为中心,把△ABC 顺时针旋转 60°;

   (3) 在△ABC 外任取一点为中心,把△ABC 顺时针旋转 120°;

   (4) 以 AC 的中点为中心,把△ABC 旋转 180°.

2. 说出如图所示的压水机压水时的旋转中心和旋转角.

(第 2 题)

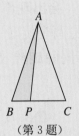

(第 3 题)

3. △ABC 中,AB=AC,P 是 BC 边上任意一点. 以点 A 为中心,取旋转角等于 ∠BAC,把△ABP 逆时针旋转,画出旋转后的图形.

4. 分别画出△ABC 绕点 O 逆时针旋转 90°和 180°后的图形.

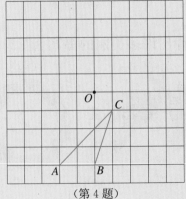

(第 4 题)

5. 下面的图形是由一个基本的图形经过旋转得到的，分别指出它们的旋转中心和旋转角.

(第5题)

综合运用

6. 把图中的五角星图案，绕着它的中心 O 旋转. 旋转角至少为多少度时，旋转后的五角星能与自身重合？对等边三角形进行类似的讨论.

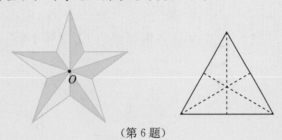

(第6题)

7. 图中的风车图案，可以由哪个基本的图形、经过什么样的旋转得到？

(第7题)　　　　　　　(第8题)　　　　　　　(第9题)

8. 如图，用一个等腰三角形，经过旋转，制作一个五角星图案.（提示：选择旋转中心，计算旋转角.）

9. 如图，△ABC 中，∠C＝90°.
   (1) 将△ABC 绕点 B 逆时针旋转 90°，画出旋转后的三角形；
   (2) 若 BC＝3，AC＝4，点 A 旋转后的对应点为 A′，求 A′A 的长.

拓广探索

10. 如图，△ABD，△AEC 都是等边三角形. BE 与 DC 有什么关系？你能用旋转的性质说明上述关系成立的理由吗？

11. 以原点为中心，把点 A(4，5) 逆时针旋转 90°，得到点 B. 求点 B 的坐标.

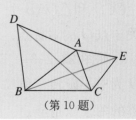

(第10题)

23.2 中心对称

23.2.1 中心对称

前面我们研究了旋转及其性质,现在研究一类特殊的旋转——中心对称及其性质.

 思考

(1) 如图 23.2-1,把其中一个图案绕点 O 旋转 180°,你有什么发现?

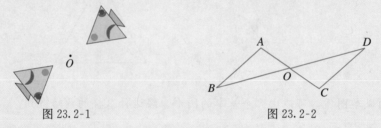

图 23.2-1   图 23.2-2

(2) 如图 23.2-2,线段 AC,BD 相交于点 O,$OA=OC$,$OB=OD$. 把 $\triangle OCD$ 绕点 O 旋转 180°,你有什么发现?

可以发现,图 23.2-1 中的一个图案旋转后两个图案互相重合;图 23.2-2 中,旋转后 $\triangle OCD$ 也与 $\triangle OAB$ 重合. 像这样,把一个图形绕着某一点旋转 180°,如果它能够与另一个图形重合,那么就说这两个图形关于这个点对称或中心对称(central symmetry),这个点叫做对称中心(简称中心). 这两个图形在旋转后能重合的对应点叫做关于对称中心的对称点. 例如,图 23.2-2 中 $\triangle OCD$ 和 $\triangle OAB$ 关于点 O 对称,点 C 与点 A 是关于点 O 的对称点.

> 你还能指出其他对称点吗?

如图 23.2-3,三角尺的一个顶点是 O,以点 O 为中心旋转三角尺,可以画出关于点 O 中心对称的两个三角形:

第一步，画出△ABC；

第二步，以三角尺的一个顶点 O 为中心，把三角尺旋转 180°，画出△A′B′C′；

第三步，移开三角尺.

因为中心对称的两个三角形可以互相重合，所以△ABC 与△A′B′C′是全等三角形.

因为点 A′是点 A 绕点 O 旋转 180°后得到的，线段 OA 绕点 O 旋转 180°得到线段 OA′，所以点 O 在线段 AA′上，且 OA＝OA′，即点 O 是线段 AA′的中点. 同样地，点 O 也是线段 BB′和 CC′的中点.

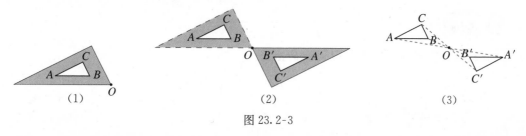

图 23.2-3

 归纳

中心对称的性质：

中心对称的两个图形，对称点所连线段都经过对称中心，而且被对称中心所平分.

中心对称的两个图形是全等图形.

例1 （1）如图 23.2-4，选择点 O 为对称中心，画出点 A 关于点 O 的对称点 A′；

（2）如图 23.2-5，选择点 O 为对称中心，画出与△ABC 关于点 O 对称的△A′B′C′.

图 23.2-4   图 23.2-5

解： （1）如图 23.2-6，连接 AO，在 AO 的延长线上截取 OA′＝OA，即可以求得点 A 关于点 O 的对称点 A′.

(2) 如图 23.2-7，作出 A，B，C 三点关于点 O 的对称点 A'，B'，C'，依次连接 $A'B'$，$B'C'$，$C'A'$，就可得到与 $\triangle ABC$ 关于点 O 对称的 $\triangle A'B'C'$.

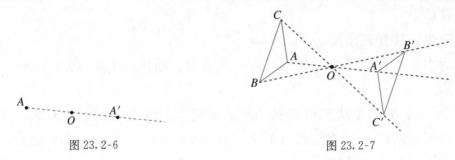

图 23.2-7

图 23.2-6

练习

1. 分别画出下列图形关于点 O 对称的图形.

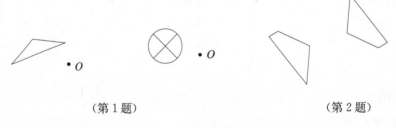

（第 1 题）　　　　　　　（第 2 题）

2. 图中的两个四边形关于某点对称，找出它们的对称中心.

23.2.2　中心对称图形

思考

(1) 如图 23.2-8，将线段 AB 绕它的中点旋转 $180°$，你有什么发现？

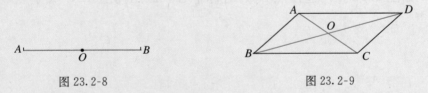

图 23.2-8　　　　　　　　图 23.2-9

(2) 如图 23.2-9，将 $\square ABCD$ 绕它的两条对角线的交点 O 旋转 $180°$，你有什么发现？

可以发现，线段 AB 绕它的中点旋转 180°后与它本身重合. $\square ABCD$ 绕它的两条对角线的交点 O 旋转 180°后与它本身重合. 像这样，把一个图形绕着某一个点旋转 180°，如果旋转后的图形能够与原来的图形重合，那么这个图形叫做**中心对称图形**（central symmetry figure），这个点就是它的对称中心.

由上可得，线段、平行四边形都是中心对称图形.

中心对称图形的形状通常匀称美观，我们在自然界中可以看到许多美丽的中心对称图形（图 23.2-10(1)），在很多建筑物和工艺品中也常采用中心对称图形作装饰图案（图 23.2-10(2)）. 另外，由于具有中心对称图形形状的物体，能够在所在的平面内绕对称中心平稳地旋转，所以在各种机器中要旋转的零部件的形状常设计成中心对称图形，如水泵叶轮等（图 23.2-10(3)）.

> 线段、平行四边形的对称中心分别是什么？

(1)

(2)

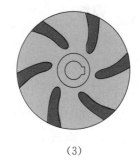

(3)

图 23.2-10

练习

1. 在我们学过的图形中，你能说出一些中心对称图形吗？

2. 在以下的图案中，哪些是中心对称图形？再举出几个自然界以及生活、生产中中心对称图形的实例.

（第 2 题）

23.2.3 关于原点对称的点的坐标

如图 23.2-11，在直角坐标系中，作出下列已知点关于原点 O 的对称点，并写出它们的坐标. 这些坐标与已知点的坐标有什么关系？

$A(4, 0)$，$B(0, -3)$，$C(2, 1)$，$D(-1, 2)$，$E(-3, -4)$.

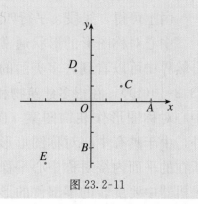

图 23.2-11

 归纳

两个点关于原点对称时，它们的坐标符号相反，即点 $P(x, y)$ 关于原点的对称点为 $P'(-x, -y)$.

例 2 如图 23.2-12 所示，利用关于原点对称的点的坐标的关系，作出与 $\triangle ABC$ 关于原点对称的图形.

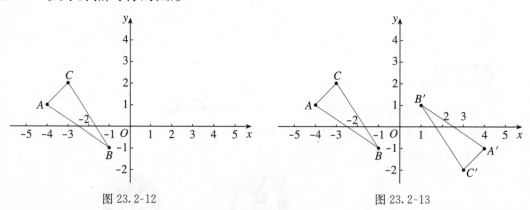

图 23.2-12   图 23.2-13

解：点 $P(x, y)$ 关于原点的对称点为 $P'(-x, -y)$，因此 $\triangle ABC$ 的三个顶点 $A(-4, 1)$，$B(-1, -1)$，$C(-3, 2)$ 关于原点的对称点分别为 $A'(4, -1)$，$B'(1, 1)$，$C'(3, -2)$，依次连接 $A'B'$，$B'C'$，$C'A'$，就可得到与 $\triangle ABC$ 关于原点对称的 $\triangle A'B'C'$（图 23.2-13）.

练习

1. 下列各点中哪两个点关于原点 O 对称?

   $A(-5, 0)$, $B(0, 2)$, $C(2, -1)$, $D(2, 0)$, $E(0, 5)$, $F(-2, 1)$, $G(-2, -1)$.

2. 写出下列各点关于原点的对称点 A', B', C', D' 的坐标:

   $A(3, 1)$, $B(-2, 3)$, $C(-1, -2)$, $D(2, -3)$.

3. 如图, 已知点 A 的坐标为 $(-2\sqrt{3}, 2)$, 点 B 的坐标为 $(-1, -\sqrt{3})$, 菱形 $ABCD$ 的对角线交于坐标原点 O. 求 C, D 两点的坐标.

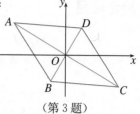

(第3题)

习题 23.2

复习巩固

1. 分别画出下列图形关于点 O 对称的图形.

(第1题)

2. 下列图形是中心对称图形吗? 如果是中心对称图形, 指出其对称中心.

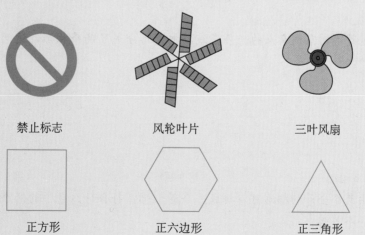

禁止标志　　　　风轮叶片　　　　三叶风扇

正方形　　　　正六边形　　　　正三角形

(第2题)

3. 四边形 $ABCD$ 各顶点坐标分别为 $A(5，0)$，$B(-2，3)$，$C(-1，0)$，$D(-1，-5)$，作出与四边形 $ABCD$ 关于原点对称的图形.

4. 已知点 $A(a，1)$ 与点 $A'(5，b)$ 关于原点对称，求 a，b 的值.

综合运用

5. 如图，O_1，O_2 分别是两个半圆的圆心，这个图形是中心对称图形吗？如果不是，请说明理由；如果是，请指出对称中心.

（第5题）   （第6题）

6. 已知 $\triangle ABC$，能否通过平移、轴对称或旋转，得到另一个三角形，使得这两个三角形能够拼成一个以 AC，AB 为邻边的平行四边形？

7. 如图，能否通过平移、轴对称或旋转，由 $\triangle ABC$ 得到 $\triangle DEC$？

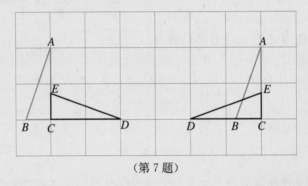

（第7题）

拓广探索

8. 如图，过菱形对角线交点的一条直线，把菱形分成了两个梯形，这两个梯形全等吗？为什么？

（第8题）   （第9题）   （第10题）

9. 如图，由两个全等的梯形可以拼成一个菱形吗？符合什么条件的两个全等梯形可以拼成一个菱形？

10. 如图，$\triangle ADE$ 和 $\triangle BCF$ 是 $\square ABCD$ 外的两个等边三角形，用旋转的知识说明 $\triangle ADE$ 和 $\triangle BCF$ 成中心对称.

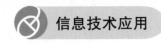

探索旋转的性质

利用计算机中的画图软件可以探索以下问题.

探索旋转的性质

任意画一个图形,作出这个图形绕某一点 O 旋转某个角度后的图形(图1).改变点 O 的位置,或者改变其中一个图形的位置,再对这个图形作旋转,观察每组图形中对应点与旋转中心所连线段有什么关系,以及对应点与旋转中心连线所成的角有什么关系.

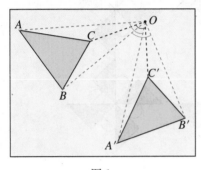

图1

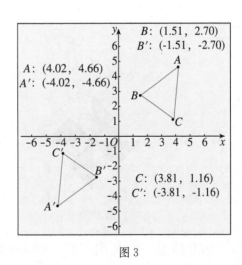

图2

利用旋转设计图案

例如,利用旋转画一朵花(图2).

第一步 先画出一个花瓣和花心,双击花心点(标记旋转中心);

第二步 执行菜单中的旋转命令,输入适当的角度(如45°),进行旋转;

第三步 重复第二步作出多个花瓣,得到一朵花的图案.

探索关于原点对称的点的坐标的关系

画一个△ABC,以原点为中心作中心对称,得到△A′B′C′(图3),度量点 A,$A′$ 的坐标,观察它们的坐标有什么关系;再度量点 B,$B′$ 的坐标,观察它们的坐标有什么关系.

改变△ABC的位置,度量点 A,$A′$ 的坐标,观察它们的坐标有什么关系;再度量点 B,$B′$ 的坐标,观察它们的坐标有什么关系.

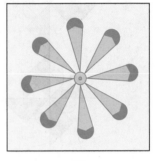

图3

23.3 课题学习 图案设计

我们可以利用平移、轴对称和旋转中的一种进行图案设计，还可以利用它们的组合进行图案设计. 例如，图 23.3-1 中的图案就是由 经过旋转、轴对称和平移得到的.

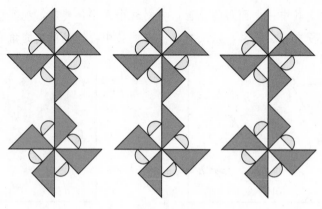

图 23.3-1

以点 O 为旋转中心将 逆时针旋转 $90°$ 三次作出图 23.3-2，然后以 l 为对称轴作出图 23.3-3. 平移图 23.3-3 就可以作出图 23.3-1 中的图案.

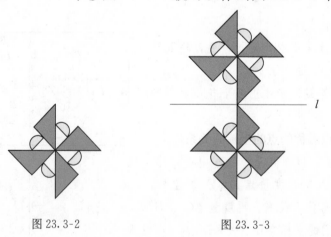

图 23.3-2   图 23.3-3

你能搜集一些利用平移、轴对称和旋转的组合设计的图案吗？你能利用平移、轴对称和旋转的组合设计一些图案吗？试试看，并与同学互相交流.

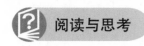

旋转对称

为什么像螺母、扳手、罐头等物体的某些部分的形状呈正多边形（图1）？这是因为，正多边形具有一种重要性质——旋转对称.

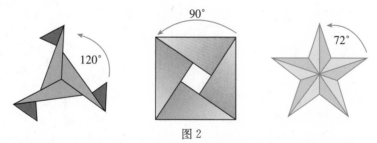

图1

把正 n 边形绕着它的中心旋转 $\dfrac{360°}{n}$ 的整数倍后所得的正 n 边形与原正 n 边形重合. 我们说，正 n 边形关于其中心有 $\dfrac{360°}{n}$ 的旋转对称. 一般地，如果一个图形绕着某点 O 旋转角 α 后所得到的图形与原图形重合，则称此图形关于点 O 有角 α 的旋转对称. 图2是具有旋转对称性质的一些图形.

图2

如果一个图形是中心对称图形，则把它绕对称中心旋转180°后所得图形与原来图形重合，所以，中心对称图形关于其对称中心有180°的旋转对称.

圆关于圆心有任意角的旋转对称，许多物体呈圆形就是应用了圆的这种性质. 当我们用一个扳手扳转一个正六边形螺母时，要应用正六边形关于其中心有60°的整数倍的旋转对称，也要应用圆关于圆心有任意角的旋转对称. 我们观察一下，许多旋转着的物体都应用了圆的旋转对称性质. 圆的这个性质给我们的生活和生产带来了很多的方便. 以后学习了圆的更多知识后，你对圆的这个性质会有更加深刻的认识.

数学活动

活动1

在平面直角坐标系中，点 A 的坐标是 $(-3，2)$，作点 A 关于 x 轴的对称点，得到点 B，再作点 B 关于 y 轴的对称点，得到点 C. 点 A 与点 C 有什么关系？如果点 A 的坐标是 $(x，y)$，点 A 与点 C 也有同样关系吗？你能用本章知识解释吗？

活动2

把点 $P(x，y)$ 绕原点分别顺时针旋转 $90°$，$180°$，$270°$，$360°$，点 P 的对应点的坐标分别是什么？将结果填入下表.

旋转的角度	90°	180°	270°	360°
对应点的坐标				

如果是逆时针方向旋转呢？

小　结

一、本章知识结构图

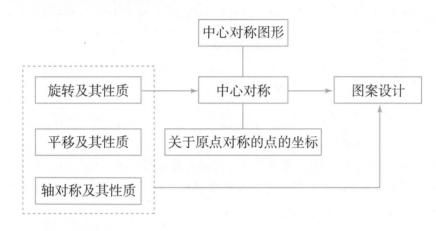

二、回顾与思考

在现实生活中，旋转现象是普遍存在的. 在同一平面内，一个平面图形绕着某一点转动一个角度，就是平面图形的旋转. 中心对称是旋转的特殊情况：把一个图形绕某一点旋转 180° 得到的图形与原图形中心对称；如果把一个图形绕某一点旋转 180° 后所得图形能与原图形重合，则这个图形就是中心对称图形. 旋转后的图形与原图形全等，即旋转与平移、轴对称一样，都是保持全等关系的图形变化. 旋转和中心对称的知识在生产和生活中有广泛的应用.

我们还可以从数量角度来刻画中心对称. 在平面直角坐标系中，与点 $P(x，y)$ 关于原点对称的点是 $P'(-x，-y)$.

请你带着下面的问题，复习一下全章的内容吧.

1. 你能举出一些平面图形旋转的实例吗？平面图形的旋转有哪些性质？

2. 中心对称图形有什么特点？你能举出一些中心对称图形的例子吗？中心对称图形有哪些应用价值？

3. 在平面直角坐标系中，关于原点对称的点的坐标有什么关系？

4. 你能否综合应用平移、轴对称和旋转的组合设计一个图案？

复习巩固

1. 如图，把 Rt△ABC 以点 S 为中心顺时针旋转 30°，画出旋转后的图形.

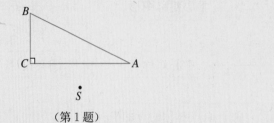

（第1题）　　　　　　　　　　　　　　　　（第2题）

2. 如图，上面的图案是由什么基本图案经怎样的旋转得到的？

3. 在美术字中，有些汉字或字母是中心对称图形. 下面的汉字或字母是中心对称图形吗？如果是，请标出它们的对称中心.

（第3题）

综合运用

4. 已知线段 AB，用平移、轴对称或旋转完成以下各题：

　(1) 画出一个以这条线段为一边的正方形；

　(2) 画出一个以这条线段为一边的等边三角形；

　(3) 画出一个以这条线段为一边，一个内角是 30° 的菱形.

A ————— B

（第4题）

5. 如图，△ABC 和 △ECD 都是等边三角形，△EBC 可以看作是 △DAC 经过平移、轴对称或旋转得到. 说明得到 △EBC 的过程.

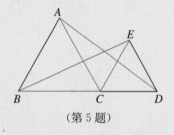

（第5题）

（第6题）

6. 能否通过平移、轴对称和旋转把右边倾斜的树放在左边直立的位置？

7. 如图，有一张纸片，若连接 EB，则纸片被分为矩形 $FABE$ 和菱形 $EBCD$. 请你画一条直线把这张纸片分成面积相等的两部分，并说明理由.

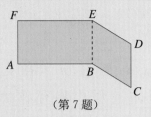

(第7题)

拓广探索

8. 如图，（1）中的梯形符合什么条件时，可以经过旋转和轴对称形成（2）中的图案？

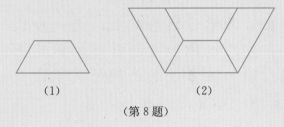

(1)   (2)

(第8题)

第二十四章　圆

　　圆是常见的几何图形，圆形物体在生活中随处可见. 圆也是一种美丽的图形，具有独特的对称性，无论从哪个角度看，它都具有同一形状. 十五的满月、圆圆的月饼象征着圆满、团圆、和谐. 古希腊数学家毕达哥拉斯认为："一切立体图形中最美的是球，一切平面图形中最美的是圆."

　　本章我们将在前面学习的基础上，进一步认识圆，学习与圆有关的线段和角的性质，研究点和圆、直线和圆、圆和正多边形之间的关系，并用圆的有关知识解决一些实际问题.

24.1 圆的有关性质

24.1.1 圆

圆是常见的图形，生活中的许多物体都给我们以圆的形象（图 24.1-1）.

图 24.1-1

我们在小学已经对圆有了初步认识. 如图 24.1-2，观察画圆的过程，你能说出圆是如何画出来的吗?

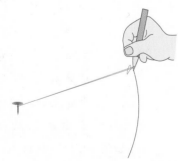

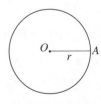

图 24.1-2   图 24.1-3

如图 24.1-3，在一个平面内，线段 OA 绕它固定的一个端点 O 旋转一周，另一个端点 A 所形成的图形叫做圆（circle）. 其固定的端点 O 叫做圆心（center of a circle），线段 OA 叫做半径（radius）.

以点 O 为圆心的圆，记作 $\odot O$，读作"圆 O".

从图 24.1-2 画圆的过程可以看出：

（1）圆上各点到定点（圆心 O）的距离都等于定长（半径 r）；

（2）到定点的距离等于定长的点都在同一个圆上.

因此，圆心为 O、半径为 r 的圆可以看成是所有到定点 O 的距离等于定长 r 的点的集合.

例 1 矩形 $ABCD$ 的对角线 AC，BD 相交于点 O. 求证：A，B，C，D 四个点在以点 O 为圆心的同一个圆上.

证明：$\because$ 四边形 $ABCD$ 为矩形，

$\therefore OA = OC = \dfrac{1}{2}AC$，$OB = OD = \dfrac{1}{2}BD$，

$AC = BD$.

$\therefore OA = OC = OB = OD$.

$\therefore A$，B，C，D 四个点在以点 O 为圆心，OA 为半径的圆上（图 24.1-4）.

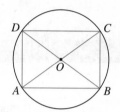

图 24.1-4

连接圆上任意两点的线段叫做**弦**（chord），经过圆心的弦叫做**直径**（diameter）. 如图 24.1-5 中，AB，AC 是弦，AB 是直径.

圆上任意两点间的部分叫做**圆弧**，简称**弧**（arc）. 以 A，B 为端点的弧记作 $\overset{\frown}{AB}$，读作"圆弧 AB"或"弧 AB". 圆的任意一条直径的两个端点把圆分成两条弧，每一条弧都叫做**半圆**（semi-circle）.

能够重合的两个圆叫做**等圆**. 容易看出：半径相等的两个圆是等圆；反过来，同圆或等圆的半径相等. 在同圆或等圆中，能够互相重合的弧叫做**等弧**.

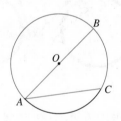

图 24.1-5

练习

1. 如何在操场上画一个半径是 5 m 的圆？说出你的理由.

2. 你见过树木的年轮吗？从树木的年轮，可以知道树木的年龄. 把树干的横截面看成是圆形的，如果一棵 20 年树龄的树的树干直径是 23 cm，这棵树的半径平均每年增加多少？

3. △ABC 中，∠C = 90°. 求证：A，B，C 三点在同一个圆上.

24.1.2 垂直于弦的直径

前面，我们学习了与圆有关的一些概念，接下来研究圆的性质.

探究

剪一个圆形纸片，沿着它的任意一条直径对折，重复做几次，你发现了什么？由此你能得到什么结论？你能证明你的结论吗？

通过探究可以发现，圆是轴对称图形，任何一条直径所在的直线都是圆的对称轴. 下面我们来证明这个结论.

要证明圆是轴对称图形，只需证明圆上任意一点关于直径所在直线（对称轴）的对称点也在圆上. 如图 24.1-6，设 CD 是 ⊙O 的任意一条直径，A 为 ⊙O 上点 C，D 以外的任意一点. 过点 A 作 $AA' \perp CD$，交 ⊙O 于点 A'，垂足为 M，连接 OA，OA'.

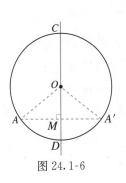

图 24.1-6

在△OAA'中，

∵ $OA = OA'$,

∴ △OAA'是等腰三角形.

又 $AA' \perp CD$,

∴ $AM = MA'$.

即 CD 是 AA' 的垂直平分线. 这就是说，对于圆上任意一点 A，在圆上都有关于直线 CD 的对称点 A'，因此 ⊙O 关于直线 CD 对称. 即圆是轴对称图形,任何一条直径所在直线都是圆的对称轴.

从上面的证明我们知道,如果⊙O的直径CD垂直于弦AA',垂足为M,那么点A和点A'是对称点.把圆沿着直径CD折叠时,点A与点A'重合,AM与$A'M$重合,$\overset{\frown}{AC}$,$\overset{\frown}{AD}$分别与$\overset{\frown}{A'C}$,$\overset{\frown}{A'D}$重合.

因此,$AM=A'M$,$\overset{\frown}{AC}=\overset{\frown}{A'C}$,$\overset{\frown}{AD}=\overset{\frown}{A'D}$.

即直径CD平分弦AA',并且平分$\overset{\frown}{AA'}$,$\overset{\frown}{ACA'}$.

这样,我们就得到垂径定理*:

垂直于弦的直径平分弦,并且平分弦所对的两条弧.

进一步,我们还可以得到推论:

平分弦(不是直径)的直径垂直于弦,并且平分弦所对的两条弧.

例 2 赵州桥(图 24.1-7)是我国隋代建造的石拱桥,距今约有 1 400 年的历史,是我国古代人民勤劳与智慧的结晶. 它的主桥拱是圆弧形,它的跨度(弧所对的弦的长)为 37 m,拱高(弧的中点到弦的距离)为 7.23 m,求赵州桥主桥拱的半径(结果保留小数点后一位).

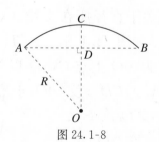

图 24.1-7

分析:解决此问题的关键是根据赵州桥的实物图画出几何图形.

解:如图 24.1-8,用$\overset{\frown}{AB}$表示主桥拱,设$\overset{\frown}{AB}$所在圆的圆心为O,半径为R.

经过圆心O作弦AB的垂线OC,D为垂足,OC与$\overset{\frown}{AB}$相交于点C,连接OA. 根据垂径定理,D是AB的中点,C是$\overset{\frown}{AB}$的中点,CD就是拱高.

由题设可知

$$AB=37,\ CD=7.23,$$

所以

$$AD=\frac{1}{2}AB=\frac{1}{2}\times 37=18.5,$$

图 24.1-8

---

* 垂径定理的探索与证明为选学内容.

$$OD = OC - CD = R - 7.23.$$

在 Rt△OAD 中，由勾股定理，得

$$OA^2 = AD^2 + OD^2,$$

即

$$R^2 = 18.5^2 + (R - 7.23)^2.$$

解得

$$R \approx 27.3.$$

因此，赵州桥的主桥拱半径约为 27.3 m.

1. 如图，在 ⊙O 中，弦 AB 的长为 8 cm，圆心 O 到 AB 的距离为 3 cm. 求 ⊙O 的半径.

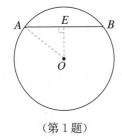

（第 1 题）

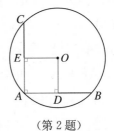

（第 2 题）

2. 如图，在 ⊙O 中，AB，AC 为互相垂直且相等的两条弦，$OD \perp AB$，$OE \perp AC$，垂足分别为 D，E. 求证：四边形 $ADOE$ 是正方形.

24.1.3 弧、弦、圆心角

探究

剪一个圆形纸片，把它绕圆心旋转 $180°$，所得的图形与原图形重合吗？由此你能得到什么结论？把圆绕圆心旋转任意一个角度呢？

实际上，圆是中心对称图形，圆心就是它的对称中心. 不仅如此，把圆绕圆心旋转任意一个角度，所得的图形都与原图形重合. 利用这个性质，我们还可以得到圆的其他性质.

我们把顶点在圆心的角叫做**圆心角**（central angle）. 现在利用上面的性质

来研究在同一个圆中，圆心角及其所对的弧、弦之间的关系.

思考

如图 24.1-9，⊙O 中，当圆心角 $\angle AOB = \angle A'OB'$ 时，它们所对的弧 $\overset{\frown}{AB}$ 和 $\overset{\frown}{A'B'}$、弦 AB 和 $A'B'$ 相等吗？为什么？

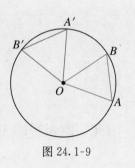

图 24.1-9

我们把 $\angle AOB$ 连同 $\overset{\frown}{AB}$ 绕圆心 O 旋转，使射线 OA 与 OA' 重合.

∵　$\angle AOB = \angle A'OB'$，

∴　射线 OB 与 OB' 重合.

又　$OA = OA'$，$OB = OB'$，

∴　点 A 与 A' 重合，点 B 与 B' 重合.

因此，$\overset{\frown}{AB}$ 与 $\overset{\frown}{A'B'}$ 重合，AB 与 $A'B'$ 重合. 即 $\overset{\frown}{AB} = \overset{\frown}{A'B'}$，$AB = A'B'$.

这样，我们就得到下面的定理：

在同圆或等圆中，相等的圆心角所对的弧相等，所对的弦也相等.

同样，还可以得到：

在同圆或等圆中，如果两条弧相等，那么它们所对的圆心角相等，所对的弦相等；

在同圆或等圆中，如果两条弦相等，那么它们所对的圆心角相等，所对的优弧和劣弧分别相等.

> 同圆或等圆中，两个圆心角、两条弧、两条弦中如果有一组量相等，则它们所对应的其余各组量有什么关系？

例3　如图 24.1-10，在 ⊙O 中，$\overset{\frown}{AB} = \overset{\frown}{AC}$，$\angle ACB = 60°$. 求证：$\angle AOB = \angle BOC = \angle AOC$.

证明：∵　$\overset{\frown}{AB} = \overset{\frown}{AC}$，

∴　$AB = AC$，$\triangle ABC$ 是等腰三角形.

又　$\angle ACB = 60°$，

∴　$\triangle ABC$ 是等边三角形，$AB = BC = CA$.

∴　$\angle AOB = \angle BOC = \angle AOC$.

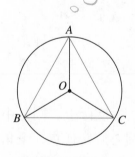

图 24.1-10

练习

1. 如图，AB，CD 是 $\odot O$ 的两条弦.

   (1) 如果 $AB=CD$，那么 _____，_____.

   (2) 如果 $\overset{\frown}{AB}=\overset{\frown}{CD}$，那么 _____，_____.

   (3) 如果 $\angle AOB=\angle COD$，那么 _____，_____.

   (4) 如果 $AB=CD$，$OE\perp AB$，$OF\perp CD$，垂足分别为 E，F，OE 与 OF 相等吗？为什么？

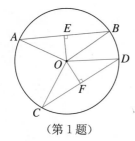
(第 1 题)

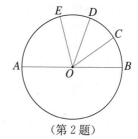
(第 2 题)

2. 如图，AB 是 $\odot O$ 的直径，$\overset{\frown}{BC}=\overset{\frown}{CD}=\overset{\frown}{DE}$，$\angle COD=35°$. 求 $\angle AOE$ 的度数.

24.1.4 圆周角

在圆中，除圆心角外，还有一类角（如图 24.1-11 中的 $\angle ACB$），它的顶点在圆上，并且两边都与圆相交，我们把这样的角叫做圆周角（angle in a circular segment）.

如图 24.1-11，连接 AO，BO，得到圆心角 $\angle AOB$. 可以发现，$\angle ACB$ 与 $\angle AOB$ 对着同一条弧 $\overset{\frown}{AB}$，它们之间存在什么关系呢？下面我们就来研究这个问题.

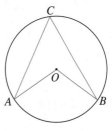
图 24.1-11

探究

分别测量图 24.1-11 中 $\overset{\frown}{AB}$ 所对的圆周角 $\angle ACB$ 和圆心角 $\angle AOB$ 的度数，它们之间有什么关系？

在 $\odot O$ 上任取一条弧，作出这条弧所对的圆周角和圆心角，测量它们的度数，你能得出同样的结论吗？由此你能发现什么规律？

可以发现，同弧所对的圆周角的度数等于这条弧所对的圆心角的度数的一半.

如图 24.1-12，为了证明上面发现的结论，在 ⊙O 任取一个圆周角∠BAC，沿 AO 所在直线将圆对折，由于点 A 的位置不同，折痕会：

(1) 在圆周角的一条边上；

(2) 在圆周角的内部；

(3) 在圆周角的外部.

利用一些计算机软件，可以很方便地度量圆周角、圆心角，有条件的同学可以试一下.

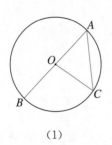
(1)

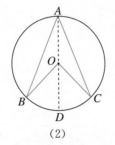
(2)

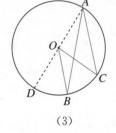
(3)

图 24.1-12

我们来分析第 (1) 种情况. 如图 24.1-12(1)，圆心 O 在∠BAC 的一条边上.

$$\left.\begin{array}{l} OA=OC \Rightarrow \angle A=\angle C \\ \angle BOC = \angle A + \angle C \end{array}\right\} \Rightarrow \angle A = \frac{1}{2}\angle BOC.$$

对于第 (2)(3) 种情况，可以通过添加辅助线（图 24.1-12 (2)(3)），将它们转化为第 (1) 种情况，从而得到相同的结论（请你自己完成证明）.

符号"⇒"读作"推出"，"A⇒B"表示由条件 A 推出结论 B.

这样，我们就得到圆周角定理：

一条弧所对的圆周角等于它所对的圆心角的一半.

进一步，我们还可以得到下面的推论（请你自己完成证明）：

同弧或等弧所对的圆周角相等.

半圆（或直径）所对的圆周角是直角，$90°$ 的圆周角所对的弦是直径（图 24.1-13）.

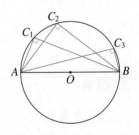

图 24.1-13

例4 如图 24.1-14，⊙O 的直径 AB 为 10 cm，弦 AC 为 6 cm，∠ACB 的平分线交⊙O 于点 D，求 BC，AD，BD 的长.

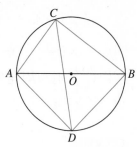

图 24.1-14

解：如图 24.1-15，连接 OD.

∵ AB 是直径，

∴ ∠ACB＝∠ADB＝90°.

在 Rt△ABC 中，

$$BC=\sqrt{AB^2-AC^2}=\sqrt{10^2-6^2}=8(\text{cm}).$$

∵ CD 平分∠ACB，

∴ ∠ACD＝∠BCD，

∴ ∠AOD＝∠BOD.

∴ AD＝BD.

又 在 Rt△ABD 中，

$$AD^2+BD^2=AB^2,$$

∴ $AD=BD=\dfrac{\sqrt{2}}{2}AB=\dfrac{\sqrt{2}}{2}\times10=5\sqrt{2}\,(\text{cm}).$

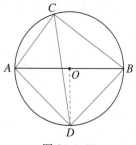

图 24.1-15

如果一个多边形的所有顶点都在同一个圆上，这个多边形叫做圆内接多边形，这个圆叫做这个多边形的外接圆. 如图 24.1-16，四边形 $ABCD$ 是⊙O 的内接四边形，⊙O 是四边形 $ABCD$ 的外接圆.

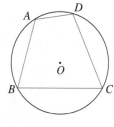

图 24.1-16

 思考

圆内接四边形的四个角之间有什么关系？

因为圆内接四边形的每一个角都是圆周角，所以我们可以利用圆周角定理，来研究圆内接四边形的角之间的关系.

如图 24.1-17，连接 OB，OD.

∵ ∠A 所对的弧为 $\overset{\frown}{BCD}$，∠C 所对的弧为 $\overset{\frown}{BAD}$，

又 $\overset{\frown}{BCD}$ 和 $\overset{\frown}{BAD}$ 所对的圆心角的和是周角，

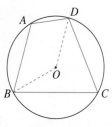

图 24.1-17

$$\therefore \quad \angle A+\angle C=\frac{360°}{2}=180°.$$

同理 $\angle B+\angle D=180°$.

这样，利用圆周角定理，我们得到圆内接四边形的一个性质：

圆内接四边形的对角互补.

练习

1. 判断下列图形中的角是不是圆周角，并说明理由：

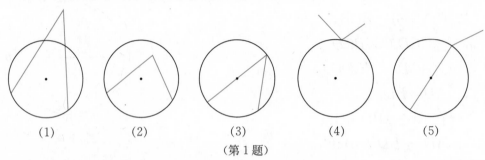

(1)   (2)   (3)   (4)   (5)

(第1题)

2. 如图，圆内接四边形 $ABCD$ 的对角线 AC，BD 把它的 4 个内角分成 8 个角，这些角中哪些相等？为什么？

(第2题)   (第3题)

3. 如图，OA，OB，OC 都是 $\odot O$ 的半径，$\angle AOB=2\angle BOC$. 求证：$\angle ACB=2\angle BAC$.

4. 如图，你能用三角尺确定一张圆形纸片的圆心吗？有几种方法？与同学交流一下.

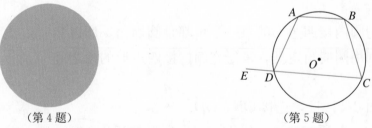

(第4题)   (第5题)

5. 如图，四边形 $ABCD$ 内接于 $\odot O$，E 为 CD 延长线上一点. 若 $\angle B=110°$，求 $\angle ADE$ 的度数.

复习巩固

1. 求证：直径是圆中最长的弦.

2. 如图，在半径为 50 mm 的 ⊙O 中，弦 AB 长 50 mm. 求：

   (1) ∠AOB 的度数；

   (2) 点 O 到 AB 的距离.

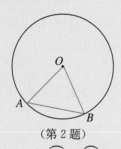

（第 2 题）

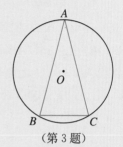

（第 3 题）

3. 如图，⊙O 中，$\overset{\frown}{AB}=\overset{\frown}{AC}$，∠C＝75°. 求∠A 的度数.

4. 如图，$\overset{\frown}{AD}=\overset{\frown}{BC}$，比较 $\overset{\frown}{AB}$ 与 $\overset{\frown}{CD}$ 的长度，并证明你的结论.

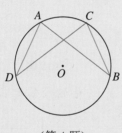

（第 4 题）

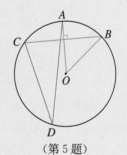

（第 5 题）

5. 如图，⊙O 中，OA⊥BC，∠AOB＝50°. 求∠ADC 的度数.

6. 如图，用直角曲尺检查半圆形的工件，哪个是合格的? 为什么?

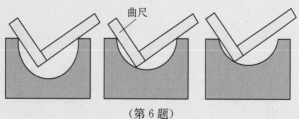

（第 6 题）

7. 求证：圆内接平行四边形是矩形.

综合运用

8. 如下页图是一个隧道的横截面，它的形状是以点 O 为圆心的圆的一部分. 如果 M

是⊙O中弦CD的中点，EM经过圆心O交⊙O于点E，并且CD=4 m，EM=6 m. 求⊙O的半径.

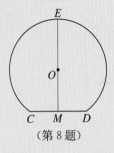

（第8题）

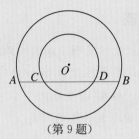

（第9题）

9. 如图，两个圆都以点O为圆心，大圆的弦AB交小圆于C，D两点. 求证：AC=BD.

10. ⊙O的半径为13 cm，AB，CD是⊙O的两条弦，AB∥CD，AB=24 cm，CD=10 cm. 求AB和CD之间的距离.

11. 如图，AB，CD是⊙O的两条平行弦，MN是AB的垂直平分线. 求证：MN垂直平分CD.

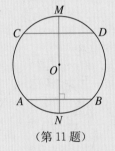

（第11题）

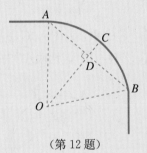

（第12题）

12. 如图，一条公路的转弯处是一段圆弧（$\overparen{AB}$），点O是这段弧所在圆的圆心. AB=300 m，C是$\overparen{AB}$上一点，OC⊥AB，垂足为D，CD=45 m. 求这段弯路的半径.

13. 如图，A，B是⊙O上的两点，∠AOB=120°，C是$\overparen{AB}$的中点. 求证：四边形OACB是菱形.

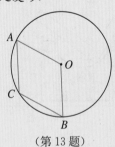

（第13题）

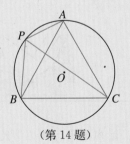

（第14题）

14. 如图，A，P，B，C是⊙O上的四个点，∠APC=∠CPB=60°. 判断△ABC的形状，并证明你的结论.

拓广探索

15. 如图，AB 和 CD 分别是 $\odot O$ 上的两条弦，圆心 O 到它们的距离分别是 OM 和 ON. 如果 $AB > CD$，OM 和 ON 的大小有什么关系？为什么？

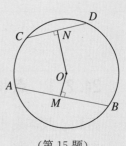

16. 如图，铁路 MN 和公路 PQ 在点 O 处交会，$\angle QON = 30°$，在点 A 处有一栋居民楼，$AO = 200$ m. 如果火车行驶时，周围 200 m 以内会受到噪声的影响，那么火车在铁路 MN 上沿 ON 方向行驶时，居民楼是否会受到噪声的影响？如果火车行驶的速度为 72 km/h，居民楼受噪声影响的时间约为多少秒（结果保留小数点后一位）？

(第 15 题)

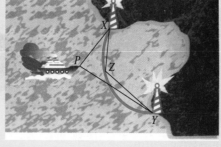

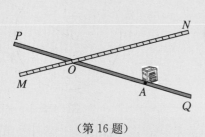

(第 16 题)

(第 17 题)

17. 如图，一个海港在 $\overset{\frown}{XY}$ 范围内是浅滩. 为了使深水船只不进入浅滩，需要测量船所在的位置与两个灯塔的视角 $\angle XPY$，并把它与已知的危险角 $\angle XZY$（$\overset{\frown}{XY}$ 上任意一点 Z 与两个灯塔所成的角）相比较，航行中保持 $\angle XPY < \angle XZY$. 你知道这样做的道理吗？

24.2 点和圆、直线和圆的位置关系

24.2.1 点和圆的位置关系

问题 我国射击运动员在奥运会上屡获金牌，为祖国赢得荣誉. 图 24.2-1 是射击靶的示意图，它是由许多同心圆（圆心相同、半径不等的圆）构成的，你知道击中靶上不同位置的成绩是如何计算的吗？

解决这个问题，需要研究点和圆的位置关系.

  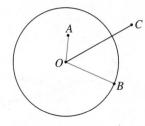

图 24.2-1 　　　　　　　　　　　　　　　图 24.2-2

我们知道，圆上所有的点到圆心的距离都等于半径. 如图 24.2-2，设 $\odot O$ 的半径为 r，点 A 在圆内，点 B 在圆上，点 C 在圆外. 容易看出：

$$OA < r, \quad OB = r, \quad OC > r.$$

反过来，如果 $OA < r$，$OB = r$，$OC > r$，则可以得到点 A 在圆内，点 B 在圆上，点 C 在圆外.

设 $\odot O$ 的半径为 r，点 P 到圆心的距离 $OP = d$，则有：

$$\text{点 } P \text{ 在圆外} \Leftrightarrow d > r;$$
$$\text{点 } P \text{ 在圆上} \Leftrightarrow d = r;$$
$$\text{点 } P \text{ 在圆内} \Leftrightarrow d < r.$$

> 符号"$\Leftrightarrow$"读作"等价于"，它表示从符号"$\Leftrightarrow$"的左端可以推出右端，从右端也可以推出左端.

射击靶图上，有一组以靶心为圆心的大小不同的圆，它们把靶图由内到外分成几个区域，这些区域用由高到低的环数来表示，射击成绩用弹着点位置对应的环数表示. 弹着点与靶心的距离决定了它在哪个圆内，弹着点离靶心越近，它所在的区域就越靠内，对应的环数也就越高，射击成绩越好.

我们知道,已知圆心和半径,可以作一个圆.经过一个已知点 A 能不能作圆,这样的圆你能作出多少个? 经过两个已知点 A,B 能不能作圆?如果能,圆心分布有什么特点?

　　作圆的关键是确定圆心的位置和半径的大小. 对于经过已知点作圆的问题,当圆心确定后,半径也就随之确定,这时作圆的问题就转化为确定圆心的问题. 因此,经过一个点 A 作圆,只要以点 A 以外任意一点为圆心,以这一点与点 A 的距离为半径就可以作出,这样的圆有无数个 (图 24.2-3 (1)). 经过两点 A,B 作圆,由于所作圆的圆心到 A,B 两点的距离相等,所以圆心在线段 AB 的垂直平分线上,这样的圆也可以作出无数个 (图 24.2-3 (2)).

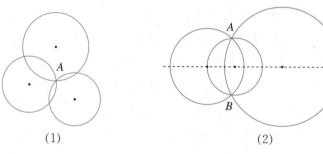

(1)　　　　　　　　　　(2)

图 24.2-3

　　经过不在同一条直线上的三个点 A,B,C 能不能作圆? 如果能,如何确定所作圆的圆心?

　　对于经过不在同一条直线上的三点作圆的问题,因为所求的圆要经过 A,B,C 三点,所以圆心到这三点的距离要相等. 因此,这个点既要在线段 AB 的垂直平分线上,又要在线段 BC 的垂直平分线上. 如图 24.2-4,分别作出线段 AB 的垂直平分线 l_1 和线段 BC 的垂直平分线 l_2,设它们的交点为 O,则 $OA=OB=OC$. 于是以点 O 为圆心,OA

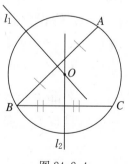

图 24.2-4

（或 OB，OC）为半径，便可作出经过 A，B，C 三点的圆. 因为过 A，B，C 三点的圆的圆心只能是点 O，半径等于 OA，所以这样的圆只有一个，即

不在同一条直线上的三个点确定一个圆.

由图 24.2-4 可以看出，经过三角形的三个顶点可以作一个圆，这个圆叫做三角形的**外接圆**（circumcircle），外接圆的圆心是三角形三条边的垂直平分线的交点，叫做这个三角形的**外心**（circumcenter）.

思考

经过同一条直线上的三个点能作出一个圆吗？

如图 24.2-5，假设经过同一条直线 l 上的 A，B，C 三点可以作一个圆. 设这个圆的圆心为 P，那么点 P 既在线段 AB 的垂直平分线 l_1 上，又在线段 BC 的垂直平分线 l_2 上，即点 P 为 l_1 与 l_2 的交点，而 $l_1 \perp l$，$l_2 \perp l$，这与我们以前学过的"过一点有且只有一条直线与已知直线垂直"矛盾. 所以，经过同一条直线上的三个点不能作圆.

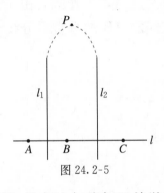
图 24.2-5

上面证明"经过同一条直线上的三个点不能作圆"的方法与我们以前学过的证明不同，它不是直接从命题的已知得出结论，而是假设命题的结论不成立（即假设经过同一条直线上的三个点可以作一个圆），由此经过推理得出矛盾，由矛盾断定所作假设不正确，从而得到原命题成立. 这种方法叫做**反证法**.

在某些情形下，反证法是很有效的证明方法. 例如，可以用反证法证明平行线的性质"两直线平行，同位角相等".*

如图 24.2-6，我们要证明：如果 $AB /\!/ CD$，那么 $\angle 1 = \angle 2$. 假设 $\angle 1 \neq \angle 2$，过点 O 作直线 $A'B'$，使 $\angle EOB' = \angle 2$. 根据"同位角相等，两直线平行"，可得 $A'B' /\!/ CD$. 这样，过点 O 就有两条直线 AB，$A'B'$ 都平行于 CD，这与平行公理"过直线外一点有且仅有一条直线与已知直线平行"矛盾.

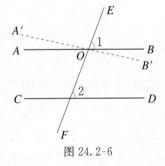
图 24.2-6

---

* 此平行线性质定理的证明为选学内容.

这说明假设∠1≠∠2 不正确，从而∠1=∠2.

 练习

1. 画出由所有到已知点 O 的距离大于或等于 2 cm，并且小于或等于 3 cm 的点组成的图形.

2. 体育课上，小明和小丽的铅球成绩分别是 6.4 m 和 5.1 m，他们投出的铅球分别落在图中哪个区域内？

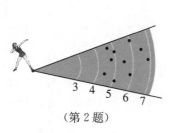

（第 2 题）

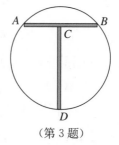

（第 3 题）

3. 如图，CD 所在的直线垂直平分线段 AB，怎样用这样的工具找到圆形工件的圆心？

24.2.2 直线和圆的位置关系

 思考

（1）如图 24.2-7(1)，如果我们把太阳看作一个圆，把地平线看作一条直线. 太阳升起的过程中，太阳和地平线会有几种位置关系？由此你能得出直线和圆的位置关系吗？

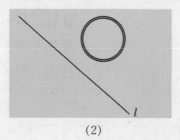

（1）   （2）

图 24.2-7

（2）如图 24.2-7(2)，在纸上画一条直线 l，把钥匙环看作一个圆. 在纸上移动钥匙环，你能发现在移动钥匙环的过程中，它与直线 l 的公共点个数的变化情况吗？

可以发现，直线和圆有三种位置关系（图 24.2-8）：

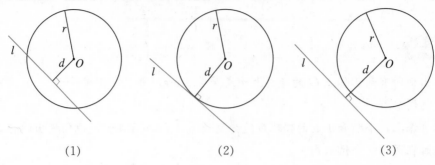

(1)　　　　　　　　(2)　　　　　　　　(3)

图 24.2-8

如图 24.2-8(1)，直线和圆有两个公共点，这时我们说这条直线和圆相交，这条直线叫做圆的割线.

如图 24.2-8(2)，直线和圆只有一个公共点，这时我们说这条直线和圆相切，这条直线叫做圆的切线（tangent line），这个点叫做切点.

如图 24.2-8(3)，直线和圆没有公共点，这时我们说这条直线和圆相离.

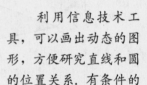

利用信息技术工具，可以画出动态的图形，方便研究直线和圆的位置关系. 有条件的同学可以试一试.

 思考

如图 24.2-8，设 ⊙O 的半径为 r，圆心 O 到直线 l 的距离为 d. 在直线和圆的不同位置关系中，d 与 r 具有怎样的大小关系？反过来，你能根据 d 与 r 的大小关系确定直线和圆的位置关系吗？

根据直线和圆相交、相切、相离的定义，容易得到：

$$直线\ l\ 和 ⊙O\ 相交 \Leftrightarrow d < r；$$
$$直线\ l\ 和 ⊙O\ 相切 \Leftrightarrow d = r；$$
$$直线\ l\ 和 ⊙O\ 相离 \Leftrightarrow d > r.$$

练习

圆的直径是 13 cm，如果圆心与直线的距离分别是：

(1) 4.5 cm；　　(2) 6.5 cm；　　(3) 8 cm.

那么直线和圆分别是什么位置关系？有几个公共点？

下面，我们重点研究直线和圆相切的情况.

如图 24.2-9，在 ⊙O 中，经过半径 OA 的外端点 A 作直线 l⊥OA，则圆心 O 到直线 l 的距离是多少？直线 l 和 ⊙O 有什么位置关系？

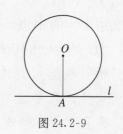

图 24.2-9

可以看出，这时圆心 O 到直线 l 的距离就是 ⊙O 的半径，直线 l 就是 ⊙O 的切线. 这样，我们得到切线的判定定理：

经过半径的外端并且垂直于这条半径的直线是圆的切线.

在生活中，有许多直线和圆相切的实例. 例如，下雨天当你快速转动雨伞时飞出的水珠，在砂轮上打磨工件时飞出的火星，都是沿着圆的切线方向飞出的（图 24.2-10）.

> 已知一个圆和圆上的一点，如何过这个点画出圆的切线？

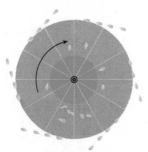

图 24.2-10

将上面"思考"中的问题反过来，如图 24.2-9，如果直线 l 是 ⊙O 的切线，切点为 A，那么半径 OA 与直线 l 是不是一定垂直呢？

实际上，我们有切线的性质定理（可以用反证法证明）：

圆的切线垂直于过切点的半径.

例 1　如图 24.2-11，△ABC 为等腰三角形，O 是底边 BC 的中点，腰 AB 与⊙O 相切于点 D. 求证：AC 是⊙O 的切线.

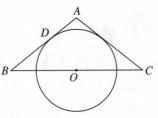

图 24.2-11

分析：根据切线的判定定理，要证明 AC 是⊙O 的切线，只要证明由点 O 向 AC 所作的垂线段 OE 是⊙O 的半径就可以了. 而 OD 是⊙O 的半径，因此需要证明 OE＝OD.

证明：如图 24.2-12，过点 O 作 OE⊥AC，垂足为 E，连接 OD，OA.

∵　⊙O 与 AB 相切于点 D，

∴　OD⊥AB.

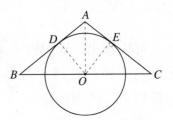

图 24.2-12

又　△ABC 为等腰三角形，O 是底边 BC 的中点，

∴　AO 是∠BAC 的平分线.

∴　OE＝OD，即 OE 是⊙O 的半径.

在解决有关圆的切线问题时，常常需要作过切点的半径.

这样，AC 经过⊙O 的半径 OE 的外端 E，并且垂直于半径 OE，所以 AC 与⊙O 相切.

练习

1. 如图，AB 是⊙O 的直径，∠ABT＝45°，AT＝AB. 求证：AT 是⊙O 的切线.

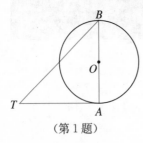

（第 1 题）

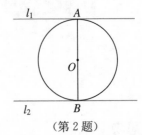

（第 2 题）

2. 如图，AB 是⊙O 的直径，直线 l_1，l_2 是⊙O 的切线，A，B 是切点. l_1，l_2 有怎样的位置关系？证明你的结论.

下面研究经过圆外一点所作的两条切线之间的关系. 如图 24.2-13, 过圆外一点 P 有两条直线 PA, PB 分别与 ⊙O 相切. 经过圆外一点的圆的切线上, 这点和切点之间线段的长, 叫做这点到圆的**切线长**.

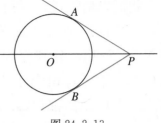

图 24.2-13

 探究

如图 24.2-13, PA, PB 是 ⊙O 的两条切线, 切点分别为 A, B. 在半透明的纸上画出这个图形, 沿着直线 PO 将图形对折, 图中的 PA 与 PB, $\angle APO$ 与 $\angle BPO$ 有什么关系?

如图 24.2-14, 连接 OA 和 OB.

∵　PA 和 PB 是 ⊙O 的两条切线,

∴　$OA \perp AP$, $OB \perp BP$.

又　$OA = OB$, $OP = OP$.

∴　Rt$\triangle AOP \cong$ Rt$\triangle BOP$.

∴　$PA = PB$, $\angle APO = \angle BPO$.

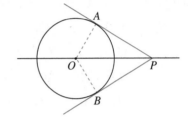

图 24.2-14

由此得到切线长定理*:

从圆外一点可以引圆的两条切线, 它们的切线长相等, 这一点和圆心的连线平分两条切线的夹角.

 思考

图 24.2-15 是一块三角形的铁皮, 如何在它上面截下一块圆形的用料, 并且使截下来的圆与三角形的三条边都相切?

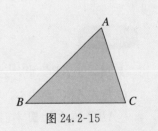

图 24.2-15

假设符合条件的圆已经作出, 那么这个圆的圆心到三角形的三条边的距离都等于半径. 如何找到这个圆心呢?

――――――――――――

* 切线长定理的探索与证明为选学内容.

我们以前学过，三角形的三条角平分线交于一点，并且这个点到三条边的距离相等. 因此，如图 24.2-16，分别作 $\angle B$，$\angle C$ 的平分线 BM 和 CN，设它们相交于点 I，那么点 I 到 AB，BC，CA 的距离都相等. 以点 I 为圆心，点 I 到 BC 的距离 ID 为半径作圆，则 $\odot I$ 与 $\triangle ABC$ 的三条边都相切，圆 I 就是所求作的圆.

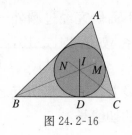
图 24.2-16

与三角形各边都相切的圆叫做三角形的**内切圆**（inscribed circle），内切圆的圆心是三角形三条角平分线的交点，叫做三角形的**内心**（incenter）.

例2 如图 24.2-17，$\triangle ABC$ 的内切圆 $\odot O$ 与 BC，CA，AB 分别相切于点 D，E，F，且 $AB=9$，$BC=14$，$CA=13$. 求 AF，BD，CE 的长.

解：设 $AF=x$，则

$\qquad AE=x$，

$\qquad CD=CE=AC-AE=13-x$，

$\qquad BD=BF=AB-AF=9-x$.

由 $BD+CD=BC$，可得

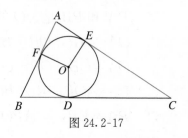
图 24.2-17

$\qquad (13-x)+(9-x)=14$.

解得

$\qquad x=4$.

因此

$\qquad AF=4$，$BD=5$，$CE=9$.

---

1. 如图，$\triangle ABC$ 中，$\angle ABC=50°$，$\angle ACB=75°$，点 O 是 $\triangle ABC$ 的内心. 求 $\angle BOC$ 的度数.

2. $\triangle ABC$ 的内切圆半径为 r，$\triangle ABC$ 的周长为 l，求 $\triangle ABC$ 的面积.（提示：设 $\triangle ABC$ 的内心为 O，连接 OA，OB，OC.）

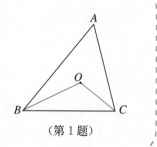
（第1题）

复习巩固

1. ⊙O 的半径为 10 cm，根据下列点 P 到圆心 O 的距离，判断点 P 和 ⊙O 的位置关系：

   (1) 8 cm；　　　　　　(2) 10 cm；　　　　　　(3) 12 cm.

2. Rt△ABC 中，∠C=90°，AC=3 cm，BC=4 cm，判断以点 C 为圆心，下列 r 为半径的 ⊙C 与 AB 的位置关系：

   (1) r=2 cm；　　　　　(2) r=2.4 cm；　　　　　(3) r=3 cm.

3. 一根钢管放在 V 形架内，其横截面如图所示，钢管的半径是 25 cm.

   (1) 如果 UV=28 cm，VT 是多少？

   (2) 如果 ∠UVW=60°，VT 是多少？

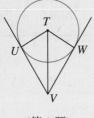

（第 3 题）

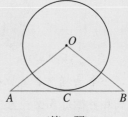

（第 4 题）

4. 如图，直线 AB 经过 ⊙O 上的点 C，并且 OA=OB，CA=CB. 求证：直线 AB 是 ⊙O 的切线.

5. 如图，以点 O 为圆心的两个同心圆中，大圆的弦 AB 是小圆的切线，点 P 为切点. 求证：AP=BP.

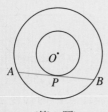

（第 5 题）

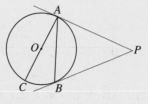

（第 6 题）

6. 如图，PA，PB 是 ⊙O 的切线，A，B 为切点，AC 是 ⊙O 的直径，∠BAC=25°. 求∠P 的度数.

综合运用

7. 已知 AB=6 cm，画半径为 4 cm 的圆，使它经过 A，B 两点. 这样的圆能画出多少个？如果半径为 3 cm，2 cm 呢？

8. 如图，分别作出锐角三角形、直角三角形和钝角三角形的外接圆，它们外心的位置有什么特点？

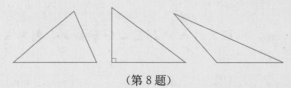

(第8题)

9. 如图是一名考古学家发现的一块古代车轮的碎片，你能帮他找出这个轮子的半径吗？说出你的理由．

(第9题)　　　　　　　　　　　(第10题)

10. 如图，一个油桶靠在直立的墙边，量得 $WY=0.65$ m，并且 $XY\perp WY$. 这个油桶的底面半径是多少？为什么？

11. 如图，AB，BC，CD 分别与 $\odot O$ 相切于 E，F，G 三点，且 $AB\ /\!/\ CD$，$BO=6$ cm，$CO=8$ cm. 求 BC 的长．

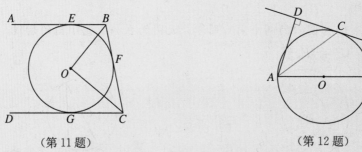

(第11题)　　　　　　　　　　(第12题)

12. 如图，AB 为 $\odot O$ 的直径，C 为 $\odot O$ 上一点，AD 和过点 C 的切线互相垂直，垂足为 D. 求证：AC 平分 $\angle DAB$.

拓广探索

13. 如下页图，等圆 $\odot O_1$ 和 $\odot O_2$ 相交于 A，B 两点，$\odot O_1$ 经过 $\odot O_2$ 的圆心 O_2. 求 $\angle O_1AB$ 的度数．

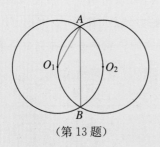

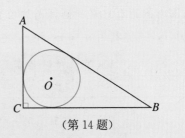

(第13题)   (第14题)

14. 如图，Rt△ABC 中，∠C=90°，AB，BC，CA 的长分别为 c，a，b．求△ABC 的内切圆半径 r．

 实验与探究

圆和圆的位置关系

前面我们学习了点和圆、直线和圆的位置关系，下面我们来研究圆和圆的位置关系．

在两张透明的纸上分别画两个半径不同的圆⊙O_1 和⊙O_2，把两张纸叠合在一起，固定其中一张，移动另一张，可以发现，⊙O_1 和⊙O_2 的位置可能出现以下几种情况（图1）.

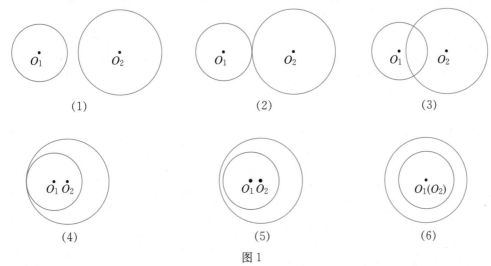

图 1

如果两个圆没有公共点，那么就说这两个圆相离，如图 1 中（1）（5）（6）所示．其中（1）叫做外离，（5）（6）叫做内含，（6）中两圆的圆心相同是两圆内含的一种特殊情况．如果两个圆只有一个公共点，那么就说这两个圆相切，如图1中（2）（4）所示．其中（2）叫做外切，（4）叫做内切．如果两个圆有两个公共点，那么就说这两个圆相交，如图1中（3）所示．

类似于研究点和圆、直线和圆的位置关系，我们也可以用两圆的半径和两圆的圆心距（两圆圆心的距离）来刻画两圆的位置关系. 如果两圆的半径分别为 r_1 和 r_2（$r_1 < r_2$），圆心距为 d，请你利用 d 与 r_1 和 r_2 之间的关系讨论两圆的位置关系，并完成下表：

两圆的位置关系	d 与 r_1 和 r_2 之间的关系
外离	$d > r_1 + r_2$
外切	
相交	
内切	
内含	

圆和圆的各种位置关系在生活中随处可见（图 2），你还能再举出一些例子吗？

图 2

24.3 正多边形和圆

我们知道，各边相等、各角也相等的多边形是正多边形．日常生活中，我们经常能看到正多边形形状的物体，利用正多边形，也可以得到许多美丽的图案（图 24.3-1）．你还能举出一些这样的例子吗？

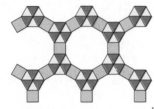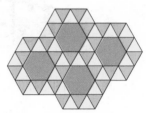

图 24.3-1

正多边形和圆的关系非常密切，只要把一个圆分成相等的一些弧，就可以作出这个圆的内接正多边形，这个圆就是这个正多边形的外接圆．

以圆内接正五边形为例证明．

如图 24.3-2，把 ⊙O 分成相等的 5 段弧，依次连接各分点得到五边形 $ABCDE$．

∵ $\overset{\frown}{AB}=\overset{\frown}{BC}=\overset{\frown}{CD}=\overset{\frown}{DE}=\overset{\frown}{EA}$，

∴ $AB=BC=CD=DE=EA$，

$\quad \overset{\frown}{BCE}=3\overset{\frown}{AB}=\overset{\frown}{CDA}$．

∴ $\angle A=\angle B$．

同理 $\angle B=\angle C=\angle D=\angle E$．

又 五边形 $ABCDE$ 的顶点都在 ⊙O 上，

∴ 五边形 $ABCDE$ 是 ⊙O 的内接正五边形，⊙O 是正五边形 $ABCDE$ 的外接圆．

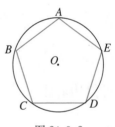

图 24.3-2

我们把一个正多边形的外接圆的圆心叫做这个正多边形的**中心**，外接圆的半径叫做正多边形的**半径**，正多边形每一边所对的圆心角叫做正多边形的**中心角**，中心到正多边形的一边的距离叫做正多边形的**边心距**（图 24.3-3）．

图 24.3-3

例 如图 24.3-4，有一个亭子，它的地基是半径为 4 m 的正六边形，求地基的周长和面积（结果保留小数点后一位）.

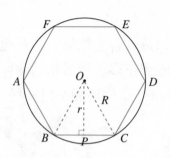

图 24.3-4

解：如图 24.3-4，连接 OB，OC. 因为六边形 $ABCDEF$ 是正六边形，所以它的中心角等于 $\dfrac{360°}{6}=60°$，$\triangle OBC$ 是等边三角形，从而正六边形的边长等于它的半径.

因此，亭子地基的周长
$$l=6×4=24(\text{m}).$$

作 $OP \perp BC$，垂足为 P. 在 $\text{Rt}\triangle OPC$ 中，$OC=4$ m，$PC=\dfrac{BC}{2}=\dfrac{4}{2}=2(\text{m})$，利用勾股定理，可得边心距
$$r=\sqrt{4^2-2^2}=2\sqrt{3}(\text{m}).$$

亭子地基的面积
$$S=\dfrac{1}{2}lr=\dfrac{1}{2}×24×2\sqrt{3}\approx41.6(\text{m}^2).$$

> 正 n 边形的一个内角的度数是多少？中心角呢？正多边形的中心角与外角的大小有什么关系？

练习

1. 矩形是正多边形吗？菱形呢？正方形呢？为什么？

2. 各边相等的圆内接多边形是正多边形吗？各角相等的圆内接多边形呢？如果是，说明为什么；如果不是，举出反例.

3. 分别求半径为 R 的圆内接正三角形、正方形的边长、边心距和面积.

实际生活中，经常遇到画正多边形的问题，比如画一个六角螺帽的平面图、画一个五角星等，这些问题都与等分圆周有关. 要制造如图 24.3-5 中的零件，也需要等分圆周.

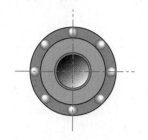

图 24.3-5

由于同圆中相等的圆心角所对的弧相等，因此作相等的圆心角就可以等分圆周，从而得到相应的正多边形. 例如，画一个边长为 1.5 cm 的正六边形时，可以以 1.5 cm 为半径作一个 $\odot O$，用量角器画一个等于 $\dfrac{360°}{6}=60°$ 的圆心角，它对着一段弧，然后在圆上依次截取与这条弧相等的弧，就得到圆的 6 个等分点，顺次连接各分点，即可得到正六边形（图 24.3-6(1)）.

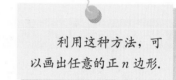

利用这种方法，可以画出任意的正 n 边形.

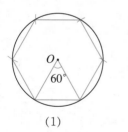
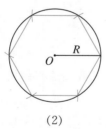
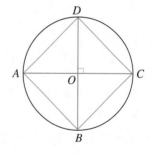

(1)　　　　　(2)

图 24.3-6　　　　　　图 24.3-7

对于一些特殊的正多边形，还可以用圆规和直尺来作. 例如，我们也可以这样来作正六边形. 由于正六边形的边长等于半径，所以在半径为 R 的圆上依次截取等于 R 的弦，就可以把圆六等分，顺次连接各分点即可得到半径为 R 的正六边形（图 24.3-6(2)）. 再如，用直尺和圆规作两条互相垂直的直径，就可以把圆四等分，从而作出正方形（图 24.3-7）.

练习

1. 画一个半径为 2 cm 的正五边形，再作出这个正五边形的各条对角线，画出一个五角星.

2. 用等分圆周的方法画出下列图案：

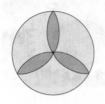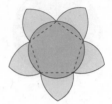

（第 2 题）

习题 24.3

复习巩固

1. 完成下表中有关正多边形的计算：

正多边形边数	内角	中心角	半径	边长	边心距	周长	面积
3	$60°$			$2\sqrt{3}$			
4					1		
6					$\sqrt{3}$		

2. 要用圆形铁片截出边长为 a 的正方形铁片，选用的圆形铁片的半径至少是多少？

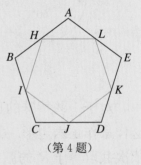

（第 4 题）

3. 正多边形都是轴对称图形吗？如果是，它的对称轴在哪里？正多边形都是中心对称图形吗？如果是，它的对称中心在哪里？

4. 如图，H，I，J，K，L 分别是正五边形 $ABCDE$ 各边的中点. 求证：五边形 $HIJKL$ 是正五边形.

综合运用

5. 如下页图，要拧开一个边长 $a=12$ mm 的六角形螺帽，扳手张开的开口 b 至少要多少？

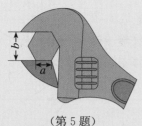

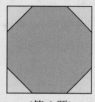

(第 5 题)　　　　　　　　　　　　　　　(第 6 题)

6. 如图，正方形的边长为 4 cm，剪去四个角后成为一个正八边形. 求这个正八边形的边长和面积.

7. 用 48 m 长的篱笆在空地上围成一个绿化场地，现有四种设计方案：正三角形、正方形、正六边形、圆. 哪种场地的面积最大（可以利用计算器计算）?

拓广探索

8. 把圆分成 $n(n \geqslant 3)$ 等份，经过各分点作圆的切线，以相邻切线的交点为顶点的多边形叫做这个圆的外切正 n 边形. 如图，$\odot O$ 的半径是 R，分别求它的外切正三角形、外切正方形、外切正六边形的边长.

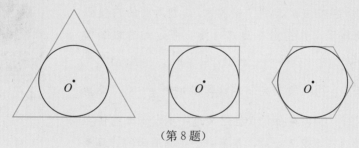

(第 8 题)

 阅读与思考

圆周率 π

　　我们知道，圆的周长 $C = 2\pi R$，面积 $S = \pi R^2$，你知道公式中的 π 是怎么计算出来的吗? 学过了正多边形和圆，就可以说出其中的道理了.

　　由公式 $C = 2\pi R$ 可得 $\pi = \dfrac{C}{2R}$. 因此，如果已经求得圆的周长，那么只需把它和圆的直径相比就能得到圆周率 π. 因此，求圆周率 π 的问题在某种意义上就可归结为求圆的周长. 实际上，公式 $\pi = \dfrac{C}{2R}$ 中圆的周长

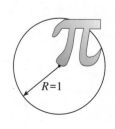

C 是可以用圆内接正多边形的周长来近似代替的. 如图 1, 把圆 n 等分, 顺次连接各分点, 便得到一个正 n 边形. 再取这 n 段弧的中点, 连同前面的 n 个分点得到 $2n$ 个分点, 顺次连接这 $2n$ 个点, 便得到正 $2n$ 边形. 继续这样做下去, 圆内接正多边形的边数就是 $4n$, $8n$, $16n$, $32n$, …. 随着边数的成倍增多, 它们的周长 p 越来越接近圆的周长 C, $\dfrac{p}{2R}$ 也越来越接近于圆的周长与直径的比值 $\dfrac{C}{2R}$, 这个数就是圆周率 π. π 是一个无理数, π＝3. 141 592 653 589 793….

图 1

历史上, 对于圆周率 π 的研究是古代数学一个经久不衰的话题. 在我国, 东汉初年的《周髀算经》里就有 "径一周三" 的古率. 公元前 3 世纪, 古希腊数学家阿基米德 (Archime-des, 约公元前 287—前 212) 通过圆内接和外切正多边形逼近圆周的方法得到圆周率介于 $3\dfrac{10}{71}$ 和 $3\dfrac{1}{7}$ 之间. 我国魏晋时期的数学家刘徽 (263 年左右) 首创 "割圆术", 利用圆的内接正多边形来确定圆周率, 并指出在圆的内接正多边形边数加倍的过程中 "割之弥细, 所失弥少, 割之又割, 以至于不可割, 则与圆周合体, 而无所失矣". 他计算出 π≈$\dfrac{157}{50}$≈3.14. 南朝的祖冲之 (429—500) 在公元 5 世纪又进一步求得 π 的值在 3. 141 592 6 和 3. 141 592 7 之间, 是第一个将圆周率的计算精确到小数点后 7 位的人.

我国发行的祖冲之纪念邮票

随着时代的发展, 人们利用高等数学的知识来计算 π 的值, 先后得出了许多计算 π 的公式, π 的近似值的位数也迅速增长.

电子计算机问世以后, 圆周率的计算突飞猛进, π 的小数点后的位数不断增长. 20 世纪 50 年代得到千位以上, 60 年代则达到 50 万位, 80 年代得到 10 亿位. 到 21 世纪初, 科学家已计算出 π 的小数点后超过万亿的位数.

当今时代, π 的计算成为测试超级计算机的各项性能的方法之一. 运算速度与计算过程的稳定性对计算机至关重要. 这正是超高精度的 π 的计算直到今天仍然有重要意义的原因之一.

24.4 弧长和扇形面积

　在半径为 R 的圆中，因为 360°的圆心角所对的弧长就是圆周长 $C=2\pi R$，所以 1°的圆心角所对的弧长是 $\dfrac{2\pi R}{360}$，即 $\dfrac{\pi R}{180}$. 于是 n°的圆心角所对的弧长为

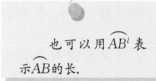
也可以用 $\overset{\frown}{AB}$ 表示 $\overset{\frown}{AB}$ 的长.

$$l=\dfrac{n\pi R}{180}.$$

　例1　制造弯形管道时，经常要先按中心线计算"展直长度"，再下料，试计算图 24.4-1 所示的管道的展直长度 L（结果取整数）.

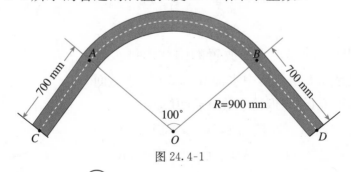

图 24.4-1

　解：由弧长公式，得 $\overset{\frown}{AB}$ 的长

$$l=\dfrac{100\times900\times\pi}{180}=500\pi\approx1\,570\text{(mm)}.$$

因此所要求的展直长度

$$L=2\times700+1\,570=2\,970\text{(mm)}.$$

如图 24.4-2，由组成圆心角的两条半径和圆心角所对的弧围成的图形叫做**扇形**. 可以发现，扇形的面积除了与圆的半径有关外还与组成扇形的圆心角的大小有关. 圆心角越大，扇形面积也就越大. 怎样计算圆半径为 R，圆心角为 $n°$ 的扇形面积呢？

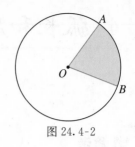

图 24.4-2

 思考

由扇形的定义可知，扇形面积就是圆面积的一部分. 想一想，如何计算圆的面积？圆面积可以看作是多少度的圆心角所对的扇形的面积？$1°$ 的圆心角所对的扇形面积是多少？$n°$ 的圆心角呢？

在半径为 R 的圆中，因为 $360°$ 的圆心角所对的扇形的面积就是圆面积 $S=\pi R^2$，所以圆心角是 $1°$ 的扇形面积是 $\dfrac{\pi R^2}{360}$. 于是圆心角为 $n°$ 的扇形面积是

$$S_{扇形}=\frac{n\pi R^2}{360}.$$

比较扇形面积公式与弧长公式，可以用弧长表示扇形面积：

$$S_{扇形}=\frac{1}{2}lR,$$

其中 l 为扇形的弧长，R 为半径.

例2 如图 24.4-3，水平放置的圆柱形排水管道的截面半径是 0.6 m，其中水面高 0.3 m. 求截面上有水部分的面积（结果保留小数点后两位）.

解：如图 24.4-4，连接 OA，OB，作弦 AB 的垂直平分线，垂足为 D，交 $\overparen{AB}$ 于点 C，连接 AC.

∵ $OC=0.6$ m，$DC=0.3$ m，

∴ $OD=OC-DC=0.3$(m).

∴ $OD=DC$.

又 $AD\perp DC$，

∴ AD 是线段 OC 的垂直平分线.

∴ $AC=AO=OC$.

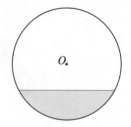

图 24.4-3

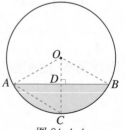

图 24.4-4

从而 $\angle AOD = 60°$，$\angle AOB = 120°$.

有水部分的面积

$$S = S_{\text{扇形}OAB} - S_{\triangle OAB}$$

$$= \frac{120\pi}{360} \times 0.6^2 - \frac{1}{2}AB \cdot OD$$

$$= 0.12\pi - \frac{1}{2} \times 0.6\sqrt{3} \times 0.3$$

$$\approx 0.22(\text{m}^2).$$

 练习

1. 弧长相等的两段弧是等弧吗？

2. 如图，有一段弯道是圆弧形的，道长是 12 m，弧所对的圆心角是 81°. 这段圆弧所在圆的半径 R 是多少米（结果保留小数点后一位）？

（第 2 题）

（第 3 题）

3. 如图，正三角形 ABC 的边长为 a，D，E，F 分别为 BC，CA，AB 的中点，以 A，B，C 三点为圆心，$\frac{a}{2}$ 长为半径作圆. 求图中阴影部分的面积.

我们知道，圆锥是由一个底面和一个侧面围成的几何体，如图 24.4-5，我们把连接圆锥顶点和底面圆周上任意一点的线段叫做圆锥的母线.

图 24.4-5

思考

圆锥的侧面展开图是什么图形？如何计算圆锥的侧面积？如何计算圆锥的全面积？

如图 24.4-6，沿一条母线将圆锥侧面剪开并展平，容易得到，圆锥的侧面展开图是一个扇形. 设圆锥的母线长为 l，底面圆的半径为 r，那么这个扇形的半径为 l，扇形的弧长为 $2\pi r$，因此圆锥的侧面积为 πrl，圆锥的全面积为 $\pi r(r+l)$.

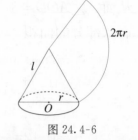

图 24.4-6

例3 蒙古包可以近似地看作由圆锥和圆柱组成. 如果想用毛毡搭建 20 个底面积为 12 m^2，高为 3.2 m，外围高 1.8 m 的蒙古包，至少需要多少平方米的毛毡（π 取 3.142，结果取整数）？

解：图 24.4-7 是一个蒙古包的示意图.

根据题意，下部圆柱的底面积为 12 m^2，高 $h_2 = 1.8$ m；上部圆锥的高 $h_1 = 3.2 - 1.8 = 1.4$(m).

圆柱的底面圆的半径

$$r = \sqrt{\frac{12}{\pi}} \approx 1.954(\text{m}),$$

侧面积为

$$2\pi \times 1.954 \times 1.8 \approx 22.10(\text{m}^2).$$

圆锥的母线长

$$l = \sqrt{1.954^2 + 1.4^2} \approx 2.404(\text{m}),$$

侧面展开扇形的弧长为

$$2\pi \times 1.954 \approx 12.28(\text{m}),$$

圆锥的侧面积为

$$\frac{1}{2} \times 2.404 \times 12.28 \approx 14.76(\text{m}^2).$$

因此，搭建 20 个这样的蒙古包至少需要毛毡 $20 \times (22.10 + 14.76) \approx 738(\text{m}^2)$.

1. 圆锥的底面直径是 80 cm，母线长 90 cm. 求它的侧面展开图的圆心角和圆锥的全面积.

2. 如图，圆锥形的烟囱帽的底面圆的直径是 80 cm，母线长是 50 cm，制作 100 个这样的烟囱帽至少需要多少平方米的铁皮？

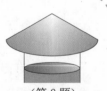

（第2题）

图 24.4-7

复习巩固

1. 填空：

   (1) $75°$ 的圆心角所对的弧长是 2.5π cm，则此弧所在圆的半径是_____ cm；

   (2) 一个扇形的弧长是 20π cm，面积是 240π cm^2，则扇形的圆心角是_____；

   (3) 用一个圆心角为 $120°$，半径为 4 的扇形作一个圆锥的侧面，这个圆锥的底面圆的半径为_____.

2. 如图，两个大小一样的传送轮连接着一条传送带. 求这条传送带的长.

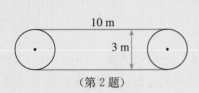

（第 2 题）

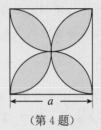

（第 4 题）

3. 在航海中，常用海里（单位：n mile）作为路程的度量单位. 把地球看作球体，1 n mile 近似等于赤道所在的圆中 $1'$ 的圆心角所对的弧长. 已知地球半径（也就是赤道所在圆的半径）约为 6370 km，1 n mile 约等于多少米（π 取 3.14，结果取整数）？

4. 正方形的边长为 a，以各边为直径在正方形内画半圆. 求图中阴影部分的面积.

5. Rt△ABC 中，$\angle C = 90°$，$AC = 3$，$BC = 4$. 把它分别沿三边所在直线旋转一周. 求所得三个几何体的全面积.

综合运用

6. 如图是一段弯形管道，其中，$\angle O = \angle O' = 90°$，中心线的两条圆弧半径都为 1 000 mm. 求图中管道的展直长度（π 取 3.142）.

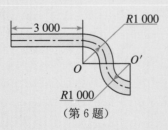

（第 6 题）

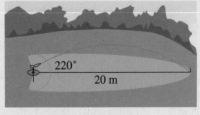

（第 7 题）

7. 如图，草坪上的自动喷水装置能旋转 $220°$，它的喷灌区域是一个扇形，这个扇形的半径是 20 m. 求它能喷灌的草坪的面积.

8. 如图，扇形纸扇完全打开后，外侧两竹条 AB，AC 夹角为 $120°$，AB 的长为 30 cm，扇面 BD 的长为 20 cm. 求扇面的面积.

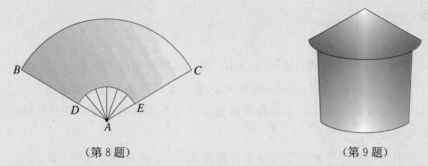

（第8题）   （第9题）

9. 如图，粮仓的顶部是圆锥形，这个圆锥的底面圆的周长为 32 m，母线长 7 m. 为了防雨，需要在它的顶部铺上油毡，所需油毡的面积至少是多少？

拓广探索

10. 如图，从一块直径是 1 m 的圆形铁皮上剪出一个圆心角为 $90°$ 的扇形，求被剪掉的部分的面积；如果将剪下来的扇形围成一个圆锥，圆锥的底面圆的半径是多少？

（第10题）   （第11题）

11. 如图，有一个圆形花坛，要把它分成面积相等的四部分，以种植不同的花卉，请你提供设计方案.

设计跑道

田径比赛中，在进行 400 m 比赛时，运动员的起跑点并不处在同一条线上，为什么这样呢？

如果比赛的起点和终点同在一条直线上，显然，对内侧跑道上的运动员较为有利．原因是内侧跑道的路程较短．因此，为了公平比赛，在外侧跑道的运动员的起跑点必须前移．

这里，你的任务是设计一条 8 道的 400 m 跑道，每条跑道由两条直的跑道和两端是半圆形的跑道组成，每条跑道宽 1 m，内侧的跑道长度为 400 m．画出每条跑道内的起跑点，使得每个运动员经过 400 m 比赛后到达同一终点线．

设计这样的跑道，你需要思考：

（1）圆的半径对确定超前起跑点有什么影响？

（2）跑道的宽度对确定超前起跑点有什么影响？

（3）直的跑道的长度对确定超前起跑点有什么影响？

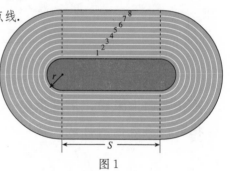

图 1

试完成表 1，并计算图 1 中每一条跑道的全长 L．

表 1　宽 1 m，内圈半径为 r m 的跑道

跑道 1	跑道 2	跑道 3	跑道 4	跑道 5	跑道 6	跑道 7	跑道 8
$r_1 = ?$	$r_2 = r_1 + 1$	$r_3 = ?$	$r_4 = ?$	$r_5 = ?$	$r_6 = ?$	$r_7 = ?$	$r_8 = ?$
$s = 100$	$s = 100$	$s = 100$	$s = 100$	$s = 100$	$s = 100$	$s = 100$	$s = 100$
$L = 200 + 2\pi r_1$ $= 400 \text{(m)}$	$L = ?$	$L = ?$	$L = ?$	$L = ?$	$L = ?$	$L = ?$	$L = ?$

从表 1，你就可以回答前面的三个问题了．现在，开始你的设计吧！

查一下资料，一个标准田径场的 400 m 跑道直道长多少米？跑道宽度呢？由此，为了进行 400 m 比赛，你能帮助体育老师画起跑线吗？

各就各位，预备！跑！

数学活动

　　路上行驶的各种车辆，车轮基本是圆形的．为什么车轮要做成圆形的呢？这里面有什么数学道理吗？

　　用硬纸板剪一个圆，让它沿直尺在桌面上滚动（图1）．可以发现，圆心与桌面的距离始终是不变的，这个距离等于圆的半径．因此，把车轮做成圆形，当车轮在平坦的地面上滚动时，车轮中心与地面的距离保持不变，坐车的人会感到非常平稳．

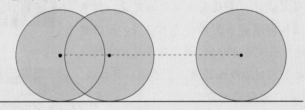

图1

　　如果车轮是正方形形状的，情况会怎样呢？剪一个正方形，让它沿直尺在桌面上滚动，用笔跟踪一下它的中心的轨迹，你得到了什么（图2）？把车轮换成椭圆再试一试！

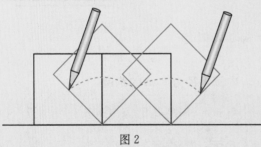

图2

> 如果有条件，你也可以利用计算机软件模拟一下．

　　试想一下，如果把车厢装在过轮子中心的轴上，车辆在平坦的路面上行驶时，采用正方形或椭圆形状的车轮，你会有什么感觉？

　　实际上，车轮做成圆形，还有其他原因．例如在物理学习中，我们知道，物体滚动时，要比滑动时的摩擦力小，而圆形物体是容易滚动的．有条件的同学，还可以查阅资料，看看还有没有其他方面的道理．

我们知道，过任意一个三角形的三个顶点能作一个圆. 过任意一个四边形的四个顶点能作一个圆吗？

图 3 给出了一些四边形，能否过它们的四个顶点作一个圆？试一试！

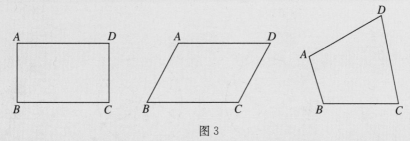

图 3

分别测量上面各四边形的内角，如果过某个四边形的四个顶点能作一个圆，那么其相对的两个内角之间有什么关系？证明你的发现.

如果过某个四边形的四个顶点不能作一个圆，那么其相对的两个内角之间有上面的关系吗？试结合图 4 说明其中的道理.（提示：利用圆周角与其所对弧的大小关系，考虑 $\angle B + \angle D$ 与 $180°$ 之间的关系.）

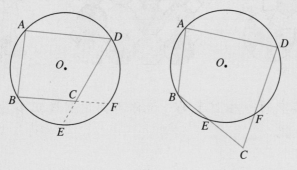

图 4

由上面的探究，试归纳出判定过某个四边形的四个顶点能作一个圆的条件.

许多图案设计都和圆有关，图 5 就是一些利用等分圆周设计出的图案，图 6 展示了其中一个图案的设计过程.

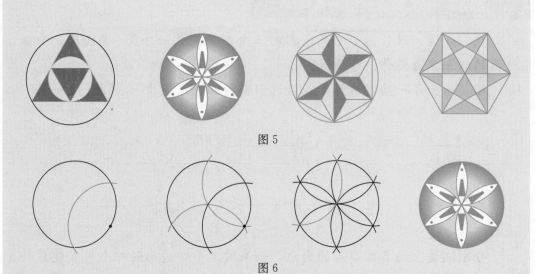

图 5

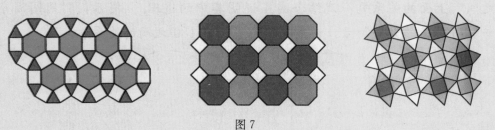

图 6

利用某些正多边形可以镶嵌整个平面的性质，还可以设计出一些美丽的图案，如图 7.

图 7

你能画出其中的一些图案吗？请你再利用圆或正多边形设计一些图案，并与同学交流.

小　结

一、本章知识结构图

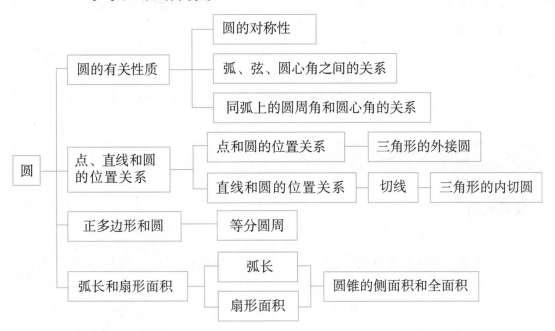

二、回顾与思考

本章比较系统地研究了圆的概念和有关性质. 圆是一种特殊的曲线, 圆的许多性质是通过与圆有关的线段 (如直径、弦等) 和角 (如圆心角、圆周角等) 体现的. 因此, 有关直线形图形的性质和判定在得出和证明圆的性质时发挥着重要的作用.

本章还研究了点和圆、直线和圆的位置关系, 圆和三角形、四边形、正多边形的关系等. 数形结合以及类比是我们研究这些关系时采用的主要方法, 它们也是探索数学新知识的重要方法.

圆是轴对称图形, 它的任何一条直径所在直线都是它的对称轴; 它也是中心对称图形, 圆心就是它的对称中心. 不仅如此, 它还是旋转对称图形. 圆的许多性质都与圆的这些对称性有关.

请你带着下面的问题, 复习一下全章的内容吧.

1. 圆的位置及大小由哪些要素确定? 如何从点的集合的角度理解圆的概念?

2. 垂直于弦的直径有什么性质? 在同圆或等圆中, 两个圆心角以及它们所对的弧、弦有什么关系？这些关系和圆的对称性有什么联系？

3. 同弧所对的圆周角和它所对的圆心角有什么关系？你能举出一些它们的实际应用吗？

4. 点和圆有怎样的位置关系？直线和圆呢？你能举出这些位置关系的一些实例吗？你能用哪些方法刻画这些位置关系？

5. 你能用直尺和圆规作出一个三角形的外接圆和内切圆吗？圆的内接四边形有什么性质？正多边形和圆有什么关系？

6. 怎样由圆的周长和面积公式得到弧长公式和扇形面积公式？

复习题 24

复习巩固

1. 选择题.

(1) 如图，⊙O 的直径 $CD = 10$ cm，AB 是 ⊙O 的弦，$AB \perp CD$，垂足为 M，$OM : OC = 3 : 5$，则 AB 的长为（　　）.

   (A) $\sqrt{91}$ cm   (B) 8 cm   (C) 6 cm   (D) 4 cm

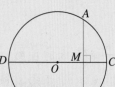
(1)

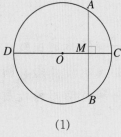
(2)

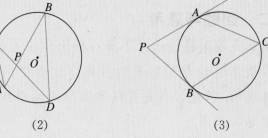
(3)

(第1题)

(2) 如图，⊙O 中，弦 AB，CD 相交于点 P，$\angle A = 40°$，$\angle APD = 75°$，则 $\angle B =$（　　）.

   (A) 15°   (B) 40°   (C) 75°   (D) 35°

(3) 如图，PA，PB 分别与 ⊙O 相切于 A，B 两点，$\angle P = 70°$，则 $\angle C =$（　　）.

   (A) 70°   (B) 55°   (C) 110°   (D) 140°

(4) 以半径为1的圆的内接正三角形、正方形、正六边形的边心距为三边作三角形，则（　　）.

   (A) 不能构成三角形   (B) 这个三角形是等腰三角形

   (C) 这个三角形是直角三角形   (D) 这个三角形是钝角三角形

(5) 一个圆锥的侧面积是底面积的 2 倍，则圆锥侧面展开图的扇形的圆心角是（   ）.

(A) $120°$ (B) $180°$ (C) $240°$ (D) $300°$

2. 如图，$\overset{\frown}{AC}=\overset{\frown}{CB}$，$D$，$E$ 分别是半径 OA，OB 的中点. 求证：$CD=CE$.

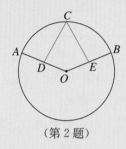

（第 2 题）

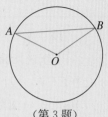

（第 3 题）

3. 如图，AB 是 $\odot O$ 的弦，半径 $OA=20$ cm，$\angle AOB=120°$. 求 $\triangle AOB$ 的面积.

4. 如图，AB 与 $\odot O$ 相切于点 C，$OA=OB$，$\odot O$ 的直径为 8 cm，$AB=10$ cm. 求 OA 的长.

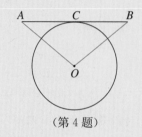

（第 4 题）

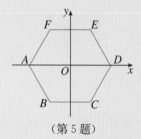

（第 5 题）

5. 如图，正六边形 $ABCDEF$ 的中心为原点 O，顶点 A，D 在 x 轴上，半径为 2 cm. 求其各个顶点的坐标.

6. 如图，大半圆中有 n 个小半圆，大半圆的弧长为 L_1，n 个小半圆的弧长和为 L_2，探索 L_1 和 L_2 的关系并证明你的结论.

（第 6 题）

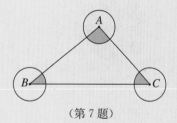

（第 7 题）

7. 如图，$\odot A$，$\odot B$，$\odot C$ 两两不相交，且半径都是 0.5 cm. 求图中三个扇形（即阴影部分）的面积之和.

综合运用

8. 估计下页图中三段弧的半径的大小关系，再用圆规检验你的结论.

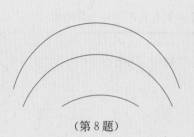

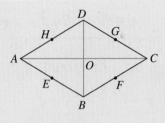

(第8题)   (第9题)

9. 如图，菱形 $ABCD$ 的对角线 AC，BD 相交于点 O，四条边 AB，BC，CD，DA 的中点分别为 E，F，G，H. 这四个点共圆吗？圆心在哪里？

10. 往直径为 650 mm 的圆柱形油槽内装入一些油以后，截面如图所示. 若油面宽 $AB=600$ mm，求油的最大深度.

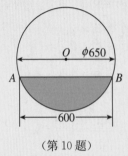

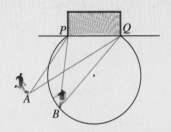

(第10题)   (第11题)

11. 如图，在足球比赛中，甲带球奔向对方球门 PQ，当他带球冲到点 A 时，同伴乙已经冲到点 B，此时甲是直接射门好，还是将球传给乙，让乙射门好？（仅从射门角度大小考虑）

12. 如图，利用刻度尺和三角尺可以测量圆形工件的直径，说明其中的道理.

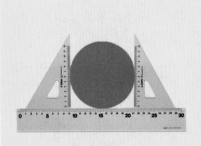

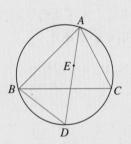

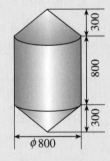

(第12题)   (第13题)   (第14题)

13. 如图，点 E 是 $\triangle ABC$ 的内心，AE 的延长线和 $\triangle ABC$ 的外接圆相交于点 D. 求证：$DE=DB$.

14. 如图，锚标浮筒是打捞作业中用来标记锚或沉船位置的，它的上下两部分是圆锥，中间是圆柱（单位：mm）. 电镀时，如果每平方米用锌 0.11 kg，电镀 100 个这样的锚标浮筒，需要用多少锌？

15. 如图，⊙O 的直径 $AB=12$ cm，AM 和 BN 是它的两条切线，DE 与⊙O 相切于点 E，并与 AM，BN 分别相交于 D，C 两点. 设 $AD=x$，$BC=y$，求 y 关于 x 的函数解析式，并试着画出它的图象.

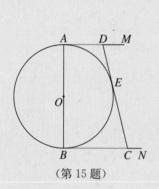

（第15题）

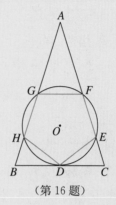

（第16题）

16. 如图，等腰三角形 ABC 的顶角 $\angle A=36°$. ⊙O 和底边 BC 相切于 BC 的中点 D，并与两腰 AC，AB 分别相交于 E，F，G，H 四点，其中 G，F 分别是两腰 AB，AC 的中点. 求证：五边形 $DEFGH$ 是正五边形.

第二十五章　概率初步

　　同学们都听说过"天有不测风云"这句话吧！它的原意是指刮风、下雨、阴天、晴天这些天气状况，人们事先很难准确预料. 后来泛指世界上很多事情具有偶然性，人们无法事先预料这些事情是否会发生.

　　随着实践和认识的逐步深入，人们发现偶然性事件中有些发生的可能性大，有些发生的可能性小. 也就是说，偶然性事件发生可能性的大小是有规律的. 概率就是在研究这些规律中产生的，人们用它描述偶然性事件发生的可能性的大小. 例如，天气预报说明天的降水概率为 90%，就意味着明天下雨（雪）的可能性很大.

　　现在概率的应用日益广泛. 本章我们将学习概率初步知识，提高对偶然性事件发生规律的认识.

25.1 随机事件与概率

在现实世界中，我们经常会遇到无法预料事情发生结果的情况. 例如, 虽然天气预报说明天有雨, 但是我们无法确定明天是否一定会下雨; 在某一时刻拨打查号台（114）, 无法确定线路是否能接通; 参加抽奖活动, 无法确定自己能否中奖, 更无法确定能中几等奖; 等等. 这些事情的发生都给我们不确定的印象. 下面我们再来看两个问题.

25.1.1　随机事件

问题 1　五名同学参加演讲比赛, 以抽签方式决定每个人的出场顺序. 为了抽签, 我们在盒中放五个看上去完全一样的纸团, 每个纸团里面分别写着表示出场顺序的数字 1, 2, 3, 4, 5. 把纸团充分搅拌后, 小军先抽, 他任意（随机）从盒中抽取一个纸团. 请思考以下问题:

（1）抽到的数字有几种可能的结果?

（2）抽到的数字小于 6 吗?

（3）抽到的数字会是 0 吗?

（4）抽到的数字会是 1 吗?

通过简单的推理或试验, 可以发现:

（1）数字 1, 2, 3, 4, 5 都有可能抽到, 共有 5 种可能的结果, 但是事先无法预料一次抽取会出现哪一种结果;

（2）抽到的数字一定小于 6;

（3）抽到的数字绝对不会是 0;

（4）抽到的数字可能是 1, 也可能不是 1, 事先无法确定.

问题 2　小伟掷一枚质地均匀的骰（tóu）子, 骰子的六个面上分别刻有 1 到 6 的点数. 请思考以下问题: 掷一次骰子, 在骰子向上的一面上,

（1）可能出现哪些点数?

（2）出现的点数大于 0 吗?

（3）出现的点数会是 7 吗?

（4）出现的点数会是 4 吗?

通过简单的推理或试验，可以发现：

（1）从 1 到 6 的每一个点数都有可能出现，所有可能的点数共有 6 种，但是事先无法预料掷一次骰子会出现哪一种结果；

（2）出现的点数肯定大于 0；

（3）出现的点数绝对不会是 7；

（4）出现的点数可能是 4，也可能不是 4，事先无法确定.

在一定条件下，有些事件必然会发生. 例如，问题 1 中"抽到的数字小于 6"，问题 2 中"出现的点数大于 0"，这样的事件称为必然事件. 相反地，有些事件必然不会发生. 例如，问题 1 中"抽到的数字是 0"，问题 2 中"出现的点数是 7"，这样的事件称为不可能事件. 必然事件与不可能事件统称确定性事件.

在一定条件下，有些事件有可能发生，也有可能不发生，事先无法确定. 例如，问题 1 中"抽到的数字是 1"，问题 2 中"出现的点数是 4"，这两个事件是否发生事先不能确定. 在一定条件下，可能发生也可能不发生的事件，称为随机事件（random event）.

你还能举出一些随机事件的例子吗？

练习

指出下列事件中，哪些是必然事件，哪些是不可能事件，哪些是随机事件.

（1）通常加热到 100 ℃时，水沸腾；

（2）篮球队员在罚球线上投篮一次，未投中；

（3）掷一次骰子，向上一面的点数是 6；

（4）任意画一个三角形，其内角和是 360°；

（5）经过有交通信号灯的路口，遇到红灯；

（6）射击运动员射击一次，命中靶心.

问题 3 袋子中装有 4 个黑球、2 个白球，这些球的形状、大小、质地等完全相同，即除颜色外无其他差别. 在看不到球的条件下，随机从袋子中摸出 1 个球.

（1）这个球是白球还是黑球？

（2）如果两种球都有可能被摸出，那么摸出黑球和摸出白球的可能性一样大吗？

为了验证你的想法，动手摸一下吧！每名同学随机从袋子中摸出 1 个球，记下球的颜色，然后把球重新放回袋子并摇匀. 汇总全班同学摸球的结果并把结果填在下表中.

表 25-1

球的颜色	黑球	白球
摸取次数		

比较表中记录的数字的大小，结果与你事先的判断一致吗？

在上面的摸球活动中，"摸出黑球"和"摸出白球"是两个随机事件. 一次摸球可能发生"摸出黑球"，也可能发生"摸出白球"，事先不能确定哪个事件发生. 由于两种球的数量不等，所以"摸出黑球"与"摸出白球"的可能性的大小不一样，"摸出黑球"的可能性大于"摸出白球"的可能性. 你们的试验结果也是这样吗？

> 一般地，随机事件发生的可能性是有大小的.

 思考

能否通过改变袋子中某种颜色的球的数量，使"摸出黑球"和"摸出白球"的可能性大小相同？

练习

1. 已知地球表面陆地面积与海洋面积的比约为 3∶7. 如果宇宙中飞来一块陨石落在地球上，"落在陆地上"与"落在海洋里"哪种可能性大？

2. 桌上倒扣着背面图案相同的 5 张扑克牌，其中 3 张黑桃、2 张红桃. 从中随机抽取 1 张.
   (1) 能够事先确定抽取的扑克牌的花色吗？
   (2) 你认为抽到哪种花色的可能性大？
   (3) 能否通过改变某种花色的扑克牌的数量，使"抽到黑桃"和"抽到红桃"的可能性大小相同？

3. 列举一些生活中的随机事件、不可能事件和必然事件的例子.

25.1.2 概率

在同样条件下，某一随机事件可能发生也可能不发生. 那么，它发生的可能性究竟有多大？能否用数值刻画可能性的大小呢？下面我们讨论这个问题.

在问题 1 中，从分别写有数字 1，2，3，4，5 的五个纸团中随机抽取一个，这个纸团里的数字有 5 种可能，即

$$1，2，3，4，5.$$

因为纸团看上去完全一样，又是随机抽取，所以每个数字被抽到的可能性大小相等. 我们用 $\frac{1}{5}$ 表示每一个数字被抽到的可能性大小.

在问题 2 中，掷一枚骰子，向上一面的点数有 6 种可能，即

$$1，2，3，4，5，6.$$

因为骰子形状规则、质地均匀，又是随机掷出，所以每种点数出现的可能性大小相等. 我们用 $\frac{1}{6}$ 表示每一种点数出现的可能性大小.

数值 $\frac{1}{5}$ 和 $\frac{1}{6}$ 刻画了试验中相应随机事件发生的可能性大小. 一般地，对于一个随机事件 A，我们把刻画其发生可能性大小的数值，称为随机事件 A 发生的概率（probability），记为 $P(A)$.

由问题 1 和问题 2，可以发现以上试验有两个共同特点：

(1) 每一次试验中，可能出现的结果只有有限个；

(2) 每一次试验中，各种结果出现的可能性相等.

对于具有上述特点的试验，我们用事件所包含的各种可能的结果个数在全部可能的结果总数中所占的比，表示事件发生的概率. 例如，在上面的抽纸团试验中，"抽到 1"这个事件包含 1 种可能结果，在全部 5 种可能的结果中所占的比为 $\frac{1}{5}$. 于是这个事件的概率

$$P(\text{抽到 }1)=\frac{1}{5}.$$

你能求出"抽到奇数"这个事件的概率吗？

"抽到偶数"这个事件包含抽到 2，4 这两种可能结果，在全部 5 种可能的结果中所占的比为 $\frac{2}{5}$.

于是这个事件的概率

$$P(\text{抽到偶数}) = \frac{2}{5}.$$

一般地，如果在一次试验中，有 n 种可能的结果，并且它们发生的可能性都相等，事件 A 包含其中的 m 种结果，那么事件 A 发生的概率 $P(A) = \frac{m}{n}$.

在 $P(A) = \frac{m}{n}$ 中，由 m 和 n 的含义，可知 $0 \leqslant m \leqslant n$，进而有 $0 \leqslant \frac{m}{n} \leqslant 1$. 因此，

$$0 \leqslant P(A) \leqslant 1.$$

特别地，

当 A 为必然事件时，$P(A) = 1$；

当 A 为不可能事件时，$P(A) = 0$.

事件发生的可能性越大，它的概率越接近 1；反之，事件发生的可能性越小，它的概率越接近 0（图 25.1-1）.

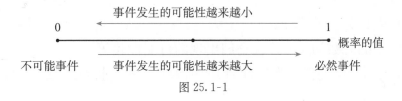

图 25.1-1

例1 掷一枚质地均匀的骰子，观察向上一面的点数，求下列事件的概率：

(1) 点数为 2；

(2) 点数为奇数；

(3) 点数大于 2 且小于 5.

解：掷一枚质地均匀的骰子时，向上一面的点数可能为 1，2，3，4，5，6，共 6 种. 这些点数出现的可能性相等.

(1) 点数为 2 有 1 种可能，因此

$$P(\text{点数为2}) = \frac{1}{6}.$$

（2）点数为奇数有 3 种可能，即点数为 1，3，5，因此

$$P(\text{点数为奇数}) = \frac{3}{6} = \frac{1}{2}.$$

（3）点数大于 2 且小于 5 有 2 种可能，即点数为 3，4，因此

$$P(\text{点数大于2且小于5}) = \frac{2}{6} = \frac{1}{3}.$$

例 2 图 25.1-2 是一个可以自由转动的转盘，转盘分成 7 个大小相同的扇形，颜色分为红、绿、黄三种颜色. 指针的位置固定，转动的转盘停止后，其中的某个扇形会恰好停在指针所指的位置（指针指向两个扇形的交线时，当作指向右边的扇形）. 求下列事件的概率：

图 25.1-2

（1）指针指向红色；

（2）指针指向红色或黄色；

（3）指针不指向红色.

分析：问题中可能出现的结果有 7 种，即指针可能指向 7 个扇形中的任何一个. 因为这 7 个扇形大小相同，转动的转盘又是自由停止，所以指针指向每个扇形的可能性相等.

解：按颜色把 7 个扇形分别记为：红$_1$，红$_2$，红$_3$，绿$_1$，绿$_2$，黄$_1$，黄$_2$. 所有可能结果的总数为 7，并且它们出现的可能性相等.

（1）指针指向红色（记为事件 A）的结果有 3 种，即红$_1$，红$_2$，红$_3$，因此

$$P(A) = \frac{3}{7}.$$

（2）指针指向红色或黄色（记为事件 B）的结果有 5 种，即红$_1$，红$_2$，红$_3$，黄$_1$，黄$_2$，因此

$$P(B) = \frac{5}{7}.$$

（3）指针不指向红色（记为事件 C）的结果有 4 种，即绿$_1$，绿$_2$，黄$_1$，黄$_2$，因此

$$P(C) = \frac{4}{7}.$$

把例 2 中的（1）（3）两问及答案联系起来，你有什么发现？

例3 图 25.1-3 是计算机中"扫雷"游戏的画面. 在一个有 9×9 个方格的正方形雷区中, 随机埋藏着 10 颗地雷, 每个方格内最多只能埋藏 1 颗地雷.

小王在游戏开始时随机地点击一个方格, 点击后出现了如图所示的情况. 我们把与标号 3 的方格相邻的方格记为 A 区域（画线部分）, A 区域外的部分记为 B 区域. 数字 3 表示在 A 区域有 3 颗地雷. 下一步应该点击 A 区域还是 B 区域?

图 25.1-3

分析: 下一步应该怎样走取决于点击哪部分遇到地雷的概率小, 只要分别计算点击两区域内的任一方格遇到地雷的概率并加以比较就可以了.

解: A 区域的方格共有 8 个, 标号 3 表示在这 8 个方格中有 3 个方格各埋藏有 1 颗地雷. 因此, 点击 A 区域的任一方格, 遇到地雷的概率是 $\frac{3}{8}$.

B 区域方格数为 $9 \times 9 - 9 = 72$. 其中有地雷的方格数为 $10 - 3 = 7$. 因此, 点击 B 区域的任一方格, 遇到地雷的概率是 $\frac{7}{72}$.

由于 $\frac{3}{8} > \frac{7}{72}$, 即点击 A 区域遇到地雷的可能性大于点击 B 区域遇到地雷的可能性, 因而第二步应该点击 B 区域.

"扫雷"游戏的目的是准确找出所有埋藏在方格内的地雷, 用时越少越好. 用鼠标点击（左击）方格, 如果方格内没有地雷, 会出现一个标号, 表示与这个方格相邻的方格内, 有与标号相同个数的地雷, 然后根据标号判断下一步点击的区域; 如果方格内有地雷, 地雷就会爆炸, 游戏失败.

练习

1. 抛掷一枚质地均匀的硬币, 向上一面有几种可能的结果? 它们的可能性相等吗? 由此能得到"正面向上"的概率吗?

2. 不透明袋子中装有 5 个红球、3 个绿球, 这些球除了颜色外无其他差别. 从袋子中随机摸出 1 个球, "摸出红球"和"摸出绿球"的可能性相等吗? 它们的概率分别为多少?

3. 回顾例 3, 如果小王在游戏开始时点击的第一个方格出现标号 1, 那么下一步点击哪个区域比较安全?

复习巩固

1. 请指出在下列事件中，哪些是随机事件，哪些是必然事件，哪些是不可能事件.
   (1) 通常温度降到 0 ℃ 以下，纯净的水结冰；
   (2) 随意翻到一本书的某页，这页的页码是奇数；
   (3) 从地面发射 1 枚导弹，未击中空中目标；
   (4) 明天太阳从东方升起；
   (5) 汽车累积行驶 10 000 km，从未出现故障；
   (6) 购买 1 张彩票，中奖.

2. 足球比赛前，由裁判员抛掷一枚硬币，若正面向上则由甲队首先开球，若反面向上则由乙队首先开球. 这种确定首先开球一方的做法对参赛的甲、乙两队公平吗？为什么？

3. 10 件外观相同的产品中有 1 件不合格，现从中随机抽取 1 件进行检测，抽到不合格产品的概率为多少？

综合运用

4. 一个质地均匀的小正方体，六个面分别标有数字 "1" "1" "2" "4" "5" "5". 掷小正方体后，观察朝上一面的数字.
   (1) 出现 "5" 的概率是多少？
   (2) 出现 "6" 的概率是多少？
   (3) 出现奇数的概率是多少？

5. 如图是一个可以自由转动的质地均匀的转盘，被分成 12 个相同的扇形. 请你在转盘的适当地方涂上红、蓝两种颜色，使得转动的转盘停止时，指针指向红、蓝两色的概率分别为 $\frac{1}{3}$，$\frac{1}{6}$.

(第 5 题)

6. 不透明袋子中有 2 个红球、3 个绿球和 4 个蓝球，这些球
   除颜色外无其他差别. 从袋子中随机取出 1 个球.

   (1) 能够事先确定取出的球是哪种颜色吗？

   (2) 取出每种颜色的球的概率会相等吗？

   (3) 取出哪种颜色的球的概率最大？

   (4) 如何改变各色球的数目，使取出每种颜色的球的概率
       都相等（提出一种方法即可)？

7. 只有一张电影票，小明和小刚想通过抽取扑克牌的方式来
   决定谁去看电影. 现有一副扑克牌，请你设计对小明和小
   刚都公平的抽签方案，你能设计出几种？

25.2 用列举法求概率

在一次试验中，如果可能出现的结果只有有限个，且各种结果出现的可能性大小相等，那么我们可以通过列举试验结果的方法，求出随机事件发生的概率.

例1 同时抛掷两枚质地均匀的硬币，求下列事件的概率：

(1) 两枚硬币全部正面向上；

(2) 两枚硬币全部反面向上；

(3) 一枚硬币正面向上、一枚硬币反面向上.

解：列举抛掷两枚硬币所能产生的全部结果，它们是：

> "同时抛掷两枚质地均匀的硬币"与"先后两次抛掷一枚质地均匀的硬币"，这两种试验的所有可能结果一样吗？

正正， 正反， 反正， 反反.

所有可能的结果共有 4 种，并且这 4 种结果出现的可能性相等.

(1) 所有可能的结果中，满足两枚硬币全部正面向上（记为事件 A）的结果只有 1 种，即"正正"，所以

$$P(A) = \frac{1}{4}.$$

(2) 两枚硬币全部反面向上（记为事件 B）的结果也只有 1 种，即"反反"，所以

$$P(B) = \frac{1}{4}.$$

(3) 一枚硬币正面向上、一枚硬币反面向上（记为事件 C）的结果共有 2 种，即"反正""正反"，所以

$$P(C) = \frac{2}{4} = \frac{1}{2}.$$

例2 同时掷两枚质地均匀的骰子，计算下列事件的概率：

(1) 两枚骰子的点数相同；

(2) 两枚骰子点数的和是 9；

(3) 至少有一枚骰子的点数为 2.

分析：当一次试验是掷两枚骰子时，为不重不漏地列出所有可能的结果，通常采用列表法.

解：两枚骰子分别记为第 1 枚和第 2 枚，可以用表 25-2 列举出所有可能出现的结果.

表 25-2

第2枚＼第1枚	1	2	3	4	5	6
1	(1，1)	(2，1)	(3，1)	(4，1)	(5，1)	(6，1)
2	(1，2)	(2，2)	(3，2)	(4，2)	(5，2)	(6，2)
3	(1，3)	(2，3)	(3，3)	(4，3)	(5，3)	(6，3)
4	(1，4)	(2，4)	(3，4)	(4，4)	(5，4)	(6，4)
5	(1，5)	(2，5)	(3，5)	(4，5)	(5，5)	(6，5)
6	(1，6)	(2，6)	(3，6)	(4，6)	(5，6)	(6，6)

结合表 25-2，体会列表法对列举所有可能的结果的作用.

由表 25-2 可以看出，同时掷两枚骰子，可能出现的结果有 36 种，并且它们出现的可能性相等.

(1) 两枚骰子的点数相同（记为事件 A）的结果有 6 种（表中的红色部分），即 (1，1)，(2，2)，(3，3)，(4，4)，(5，5)，(6，6)，所以

$$P(A) = \frac{6}{36} = \frac{1}{6}.$$

(2) 两枚骰子的点数和是 9（记为事件 B）的结果有 4 种（表中的阴影部分），即 (3，6)，(4，5)，(5，4)，(6，3)，所以

$$P(B) = \frac{4}{36} = \frac{1}{9}.$$

(3) 至少有一枚骰子的点数为 2（记为事件 C）的结果有 11 种（表中蓝色方框部分），所以

$$P(C) = \frac{11}{36}.$$

 思考

如果把例 2 中的"同时掷两枚质地均匀的骰子"改为"把一枚质地均匀的骰子掷两次"，得到的结果有变化吗？为什么？

练习

1. 不透明袋子中装有红、绿小球各一个，除颜色外无其他差别. 随机摸出一个小球后，放回并摇匀，再随机摸出一个. 求下列事件的概率：

   (1) 第一次摸到红球，第二次摸到绿球；

   (2) 两次都摸到相同颜色的小球；

   (3) 两次摸到的球中一个绿球、一个红球.

2. 有 6 张看上去无差别的卡片，上面分别写着 1，2，3，4，5，6. 随机抽取 1 张后，放回并混在一起，再随机抽取 1 张，那么第二次取出的数字能够整除第一次取出的数字的概率是多少？

例 3 甲口袋中装有 2 个相同的小球，它们分别写有字母 A 和 B；乙口袋中装有 3 个相同的小球，它们分别写有字母 C，D 和 E；丙口袋中装有 2 个相同的小球，它们分别写有字母 H 和 I. 从三个口袋中各随机取出 1 个小球.

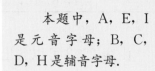

本题中，A，E，I 是元音字母；B，C，D，H 是辅音字母.

(1) 取出的 3 个小球上恰好有 1 个、2 个和 3 个元音字母的概率分别是多少？

(2) 取出的 3 个小球上全是辅音字母的概率是多少？

分析：当一次试验是从三个口袋中取球时，列表法就不方便了，为不重不漏地列出所有可能的结果，通常采用画树状图法.

解：根据题意，可以画出如下的树状图：

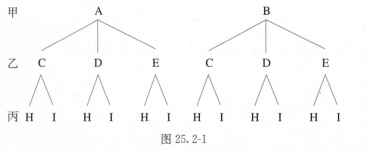

图 25.2-1

由树状图（图 25.2-1）可以看出，所有可能出现的结果共有 12 种，即

A	A	A	A	A	A	B	B	B	B	B	B
C	C	D	D	E	E	C	C	D	D	E	E
H	I	H	I	H	I	H	I	H	I	H	I

这些结果出现的可能性相等.

(1) 只有 1 个元音字母的结果（红色）有 5 种，即 ACH，ADH，BCI，BDI，BEH，所以

$$P(1 个元音) = \frac{5}{12}.$$

有 2 个元音字母的结果（绿色）有 4 种，即 ACI，ADI，AEH，BEI，所以

$$P(2 个元音) = \frac{4}{12} = \frac{1}{3}.$$

全部为元音字母的结果（蓝色）只有 1 种，即 AEI，所以

$$P(3 个元音) = \frac{1}{12}.$$

（2）全是辅音字母的结果共有 2 种，即 BCH，BDH，所以

$$P(3 个辅音) = \frac{2}{12} = \frac{1}{6}.$$

用树状图列举的结果看起来一目了然，当事件要经过多个步骤（三步或三步以上）完成时，用画树状图法求事件的概率很有效.

练习

经过某十字路口的汽车，可能直行，也可能向左转或向右转. 如果这三种可能性大小相同，求三辆汽车经过这个十字路口时，下列事件的概率：

(1) 三辆车全部继续直行；

(2) 两辆车向右转，一辆车向左转；

(3) 至少有两辆车向左转.

习题 25.2

复习巩固

1. 把一副普通扑克牌中的 13 张黑桃牌洗匀后正面向下放在桌子上，从中随机抽取一张，求下列事件的概率：

(1) 抽出的牌是黑桃 6；　(2) 抽出的牌是黑桃 10；

(3) 抽出的牌带有人像；　(4) 抽出的牌上的数小于 5；

(5) 抽出的牌的花色是黑桃.

2. 有一个质地均匀的正十二面体，十二个面上分别写有 1～12 这十二个整数. 投掷这个正十二面体一次，求下列事件的概率：

(第2题)

(1) 向上一面的数字是 2 或 3；

(2) 向上一面的数字是 2 的倍数或 3 的倍数.

3. 一个不透明的口袋中有四个完全相同的小球，把它们分别标号为 1，2，3，4. 随机摸取一个小球然后放回，再随机摸出一个小球. 求下列事件的概率：

(1) 两次取出的小球的标号相同；

(2) 两次取出的小球标号的和等于 4.

综合运用

4. 一只蚂蚁在如图所示的树枝上寻觅食物，假定蚂蚁在每个岔路口都随机选择一条路径，它获得食物的概率是多少？

(第4题)

5. 第一盒中有 2 个白球、1 个黄球，第二盒中有 1 个白球、1 个黄球，这些球除颜色外无其他差别. 分别从每个盒中随机取出 1 个球，求下列事件的概率：

(1) 取出的 2 个球都是黄球；

(2) 取出的 2 个球中 1 个白球、1 个黄球.

6. 假定鸟卵孵化后，雏鸟为雌鸟与雄鸟的概率相同. 如果 3 枚鸟卵全部成功孵化，那么 3 只雏鸟中恰有 2 只雄鸟的概率是多少？

拓广探索

7. 有两把不同的锁和三把钥匙，其中两把钥匙分别能打开这两把锁，第三把钥匙不能打开这两把锁. 随机取出一把钥匙开任意一把锁，一次打开锁的概率是多少？

8. 如图所示的两张图片形状完全相同，把两张图片全部从中间剪断，再把四张形状相同的小图片混合在一起. 从四张图片中随机摸取一张，接着再随机摸取一张，则这两张小图片恰好合成一张完整图片的概率是多少？

(第8题)

9. 盒中有 x 枚黑棋和 y 枚白棋，这些棋除颜色外无其他差别.

(1) 从盒中随机取出一枚棋子，如果它是黑棋的概率是 $\dfrac{3}{8}$，写出表示 x 和 y 关系的表达式.

(2) 往盒中再放进 10 枚黑棋，取得黑棋的概率变为 $\dfrac{1}{2}$，求 x 和 y 的值.

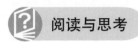 阅读与思考

概率与中奖

同学们，你们都知道彩票吧. 我们常常看见彩票摇奖的电视画面.

请同学们思考一下，如果某一彩票的中奖概率是 $\dfrac{1}{1\,000}$，那么买 1 000 张彩票就一定能够中奖吗？

有的同学可能认为，中奖概率为 $\dfrac{1}{1\,000}$，当然买 1 000 张彩票一定能中奖. 事实是这样吗？比如，如果发行的 1 000 万张彩票中有 1 万张能够中奖，就是说中奖率是 $\dfrac{1}{1\,000}$，那么即使买 1 000 张彩票，这 1 000 张彩票也可能全部来自那些不能中奖的 999 万张彩票.

事实上，买 1 000 张彩票相当于做 1 000 次试验，可能 1 000 张彩票中没有 1 张中奖，也可能有 1 张中奖，也可能有 2 张中奖……通过计算可以得知，1 000 张彩票中至少有 1 张彩票中奖的概率约为 0.632 3，没有 1 张中奖的概率约为 0.367 7.

为了发展公益事业，我国发行了多种彩票，有些彩票的最高奖高达数百万元. 但是，在有限的几次试验中中最高奖这种事件几乎是不可能发生的. 买 1 张彩票就能中最高奖的概率近似为 0，我们通常把这种几乎不可能的事件称为小概率事件.

尽管中最高奖的概率微乎其微，但有一点是肯定的，买的彩票越多中奖的机会就越大. 有些同学可能会问，如果把发行的所有彩票全部买下不就能保证中奖了吗？是的，在这种情况下，当然可以保证中奖，但是买下所有彩票需要的资金远远超过中奖获得的奖金.

25.3 用频率估计概率

用列举法可以求一些事件的概率. 实际上，我们还可以利用多次重复试验，通过统计试验结果估计概率.

我们从抛掷硬币这个简单问题说起. 抛掷一枚质地均匀的硬币时，"正面向上"和"反面向上"发生的可能性相等，这两个随机事件发生的概率都是0.5. 这是否意味着抛掷一枚硬币 100 次时，就会有 50 次"正面向上"和 50 次"反面向上"呢？不妨用试验进行检验.

试验 把全班同学分成 10 组，每组同学抛掷一枚硬币 50 次，整理同学们获得的试验数据，并完成表 25-3.

第 1 组的数据填在第 1 列，第 1，2 组的数据之和填在第 2 列……10 个组的数据之和填在第 10 列. 如果在抛掷硬币 n 次时，出现 m 次"正面向上"，则称比值 $\dfrac{m}{n}$ 为"正面向上"的频率.

表 25-3

抛掷次数 n	50	100	150	200	250	300	350	400	450	500
"正面向上"的频数 m										
"正面向上"的频率 $\dfrac{m}{n}$										

根据上表中的数据，在图 25.3-1 中标注出对应的点.

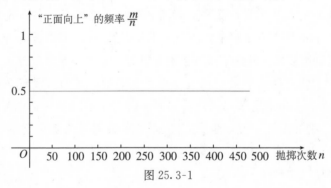

图 25.3-1

请同学们根据试验所得数据想一想："正面向上"的频率有什么规律？

历史上，有些人曾做过成千上万次抛掷硬币的试验，其中一些试验结果见表 25-4.

表 25-4

试验者	抛掷次数 n	"正面向上"的次数 m	"正面向上"的频率 $\frac{m}{n}$
棣莫弗	2 048	1 061	0.518
布丰	4 040	2 048	0.506 9
费勒	10 000	4 979	0.497 9
皮尔逊	12 000	6 019	0.501 6
皮尔逊	24 000	12 012	0.500 5

 思考

随着抛掷次数的增加，"正面向上"的频率的变化趋势是什么？

可以发现，在重复抛掷一枚硬币时，"正面向上"的频率在 0.5 附近摆动. 一般地，随着抛掷次数的增加，频率呈现出一定的稳定性：在 0.5 附近摆动的幅度会越来越小. 这时，我们称"正面向上"的频率稳定于 0.5. 它与前面用列举法得出的"正面向上"的概率是同一个数值.

在抛掷一枚硬币时，结果不是"正面向上"，就是"反面向上". 因此，从上面的试验中也能得到相应的"反面向上"的频率. 当"正面向上"的频率稳定于 0.5 时，"反面向上"的频率也稳定于 0.5. 它也与前面用列举法得出的"反面向上"的概率是同一个数值.

实际上，从长期实践中，人们观察到，对一般的随机事件，在做大量重复试验时，随着试验次数的增加，一个事件出现的频率，总在一个固定数的附近摆动，显示出一定的稳定性. 因此，我们可以通过大量的重复试验，用一个随机事件发生的频率去估计它的概率.

雅各布·伯努利（1654—1705），概率论的先驱之一.

用频率估计概率，虽然不像列举法能确切地计算出随机事件的概率，但由于不受"各种结果出现的可能性相等"的条件限制，使得可求概率的随机事件的范围扩大. 例如，抛掷一枚图钉或一枚质地不均匀的骰子，不能用列举法求"针尖朝上"或"出现 6 点"的概率，但可以通过大量重复试验估计出它们的概率.

从抛掷硬币的试验还可以发现，"正面向上"的概率是 0.5，连续掷 2 次，结果不一定是"正面向上"和"反面向上"各 1 次；连续抛掷 100 次，结果也不一定是"正面向上"和"反面向上"各 50 次. 也就是说，概率是 0.5 并不能保证掷 $2n$ 次硬币一定恰好有 n 次"正面向上"，只是当 n 越来越大时，正面向上的频率会越来越稳定于 0.5. 可见，概率是针对大量重复试验而言的，大量重复试验反映的规律并非在每一次试验中都发生.

练习

1. 下表记录了一名球员在罚球线上投篮的结果.

投篮次数 n	50	100	150	200	250	300	500
投中次数 m	28	60	78	104	123	152	251
投中频率 $\dfrac{m}{n}$							

(1) 计算投中频率（结果保留小数点后两位）；

(2) 这名球员投篮一次，投中的概率约是多少（结果保留小数点后一位）？

2. 用前面抛掷硬币的试验方法，全班同学分组做掷骰子的试验，估计掷一次骰子时"点数是 1"的概率.

我们再来看一些问题.

问题 1 某林业部门要考察某种幼树在一定条件下的移植成活率，应采用什么具体做法？

幼树移植成活率是实际问题中的一种概率. 这个问题中幼树移植"成活"与"不成活"两种结果可能性是否相等未知，所以成活率要由频率去估计.

在同样条件下，对这种幼树进行大量移植，并统计成活情况，计算成活的频率. 随着移植数 n 越来越大，频率 $\dfrac{m}{n}$ 会越来越稳定，于是就可以把频率作为成活率的估计值.

表 25-5 是一张模拟的统计表，请补全表中空缺，并完成表下的填空.

表 25-5

移植总数 n	成活数 m	成活的频率 $\dfrac{m}{n}$（结果保留小数点后三位）
10	8	0.800
50	47	_____
270	235	0.870
400	369	_____
750	662	
1 500	1 335	0.890
3 500	3 203	0.915
7 000	6 335	
9 000	8 073	_____
14 000	12 628	0.902

从表 25-5 可以发现，随着移植数的增加，幼树移植成活的频率越来越稳定. 当移植总数为 14 000 时，成活的频率为 0.902，于是可以估计幼树移植成活的概率为_____.

问题 2　某水果公司以 2 元/kg 的成本价新进 10 000 kg 柑橘. 如果公司希望这些柑橘能够获得利润 5 000 元，那么在出售柑橘（去掉损坏的柑橘）时，每千克大约定价为多少元比较合适？

销售人员首先从所有的柑橘中随机抽取若干柑橘，进行"柑橘损坏率"统计，并把获得的数据记录在表 25-6 中. 请你帮忙完成此表.

柑橘在运输、储存中会有损坏，公司必须估算出可能损坏的柑橘总数，以便将损坏的柑橘的成本折算到没有损坏的柑橘的售价中.

表 25-6

柑橘总质量 n/kg	损坏柑橘质量 m/kg	柑橘损坏的频率 $\frac{m}{n}$ (结果保留小数点后三位)
50	5.50	0.110
100	10.50	0.105
150	15.15	_____
200	19.42	_____
250	24.25	_____
300	30.93	_____
350	35.32	_____
400	39.24	_____
450	44.57	_____
500	51.54	_____

填完表后，从表 25-6 可以看出，随着柑橘质量的增加，柑橘损坏的频率越来越稳定. 柑橘总质量为 500 kg 时的损坏频率为 0.103，于是可以估计柑橘损坏的概率为 0.1（结果保留小数点后一位）. 由此可知，柑橘完好的概率为 0.9.

根据估计的概率可以知道，在 10 000 kg 柑橘中完好柑橘的质量为

$$10\ 000 \times 0.9 = 9\ 000 \text{ （kg）.}$$

完好柑橘的实际成本为

$$\frac{2 \times 10\ 000}{9\ 000} = \frac{2}{0.9} \approx 2.22 \text{ （元/kg）.}$$

设每千克柑橘的售价为 x 元，则

$$(x - 2.22) \times 9\ 000 = 5\ 000.$$

解得

$$x \approx 2.8 \text{ （元）.}$$

因此，出售柑橘时，每千克定价大约 2.8 元可获利润 5 000 元.

某农科所在相同条件下做某作物种子发芽率的试验，结果如下表所示：

种子个数	发芽种子个数	发芽种子频率 （结果保留小数点后三位）
100	94	
200	187	
300	282	
400	338	
500	435	
600	530	
700	624	
800	718	
900	814	
1000	901	

一般地，1 000 kg 种子中大约有多少是不能发芽的？

习题 25.3

复习巩固

1. 在做重复试验时，随着试验次数的增多，事件发生的频率一般会有什么变化趋势？

2. 从一定高度落下的图钉，落地后可能图钉尖着地，也可能图钉尖不着地. 估计哪种事件的概率更大. 与同学们合作，通过做试验验证你事先的估计是否正确.

综合运用

3. 某射击运动员在同一条件下的射击成绩记录如下：

射击次数	20	40	100	200	400	1 000
"射中 9 环以上"的次数	15	33	78	158	321	801
"射中 9 环以上"的频率						

（1）计算表中相应的"射中 9 环以上"的频率（结果保留小数点后两位）.

(2) 这些频率具有怎样的稳定性?

(3) 根据频率的稳定性,估计这名运动员射击一次时"射中 9 环以上"的概率 (结果保留小数点后一位).

4. 投针试验

(1) 在一个平面上画一组间距为 $d = 4$ cm 的平行线,将一根长度为 $l = 3$ cm 的针任意投掷在这个平面上,针可能与某一直线相交,也可能与任一直线都不相交. 根据记录在下表中的投针试验数据,估计针与直线相交的概率.

(第 4 题)

试验次数 n	25	50	75	100	125	150	175	200	225	250	⋯
相交频数 m											⋯
相交频率 $\dfrac{m}{n}$											⋯

(2) 在投针试验中,如果在间距 $d = 4$ cm、针长 $l = 3$ cm 时,针与直线相交的概率为 p,那么当 d 不变、l 减小时,概率 p 如何变化? 当 l 不变、d 减小时,概率 p 如何变化(在试验中始终保持 $l < d$)?

5. 为了估计鱼塘中的鱼数,养鱼者首先从鱼塘中打捞 n 条鱼,在每一条鱼身上做好记号后把这些鱼放归鱼塘,再从鱼塘中打捞 a 条鱼. 如果在这 a 条鱼中有 b 条鱼是有记号的,那么估计鱼塘中鱼的条数为 $\dfrac{an}{b}$. 你认为这种估计方法有道理吗? 为什么?

拓广探索

6. 动物学家通过大量的调查估计:某种动物活到 20 岁的概率为 0.8,活到 25 岁的概率为 0.5,活到 30 岁的概率为 0.3.

(1) 现年 20 岁的这种动物活到 25 岁的概率为多少?

(2) 现年 25 岁的这种动物活到 30 岁的概率为多少?

π 的估计

图1是一个七等分圆盘，随意向其投掷一枚飞镖，则飞镖落在圆盘中任何一个点上的机会都相等．由于各个小扇形大小一样，因此飞镖落在红、黄、绿区域上的概率分别为 $\frac{3}{7}$，$\frac{2}{7}$，$\frac{2}{7}$．这里概率的大小是各颜色区域的面积在整个区域的面积中所占的比.

图1

一般地，如果在一次试验中，结果落在区域 D 中每一点都是等可能的，用 A 表示"试验结果落在区域 D 中一个小区域 M 中"这个事件，那么事件 A 发生的概率为

$$P(A) = \frac{M \text{ 的面积}}{D \text{ 的面积}}.$$

图2是一个正方形及其内切圆，随机地往正方形内投一粒米，落在圆内的概率为

$$P(A) = \frac{\text{圆的面积}}{\text{正方形的面积}} = \frac{\pi}{4}.$$

由此解答下列问题：

图2

(1) 随机撒一把米到画有正方形及其内切圆的白纸上，统计并计算落在圆内的米粒数 m 与正方形内的米粒数 n 的比 $\frac{m}{n}$.

(2) $\frac{m}{n}$ 和 $\frac{\pi}{4}$ 之间有什么关系？你能用它们之间的关系估计出 π 的值吗？

落在圆内的米粒数 m	落在正方形内的米粒数 n	频率 $\frac{m}{n}$	π 的估计值

(3) 为了提高 π 的估计精度，你认为还可以怎么做？

数学活动

在如图1所示的图形中随机撒一把豆子，计算落在 A，B，C 三个区域中豆子数的比. 多次重复这个试验，你能否发现上述比与 A，B，C 三个区域的面积有什么关系？把"在图形中随机撒豆子"作为试验，把"豆子落在区域 C 中"记作事件 W，估计事件 W 的概率 $P(W)$ 的值.

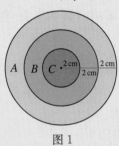

图1

3 张扑克牌中只有 1 张黑桃，3 位同学依次抽取，他们抽到黑桃的概率跟抽取的顺序有关吗？请同学们通过试验，试着用频率估计每个同学抽到黑桃的概率.

小　结

一、本章知识结构图

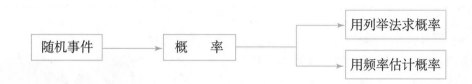

二、回顾与思考

随机事件在一次试验中是否发生具有偶然性，但在大量重复试验中，随机事件发生的可能性会呈现一定的规律性．概率从数值上刻画了随机事件发生的可能性大小，揭示了随机现象中存在的规律．

对于可能出现的结果只有有限个，且各种结果出现的可能性相等的随机试验，我们可以通过列举法求出它的概率．在用列举法求概率时，要注意做到结果不重不漏．通过大量重复试验，用频率估计概率，也是求概率的一种重要方法．它不仅适用于各种结果出现的可能性相等的试验，也适用于各种结果出现的可能性不相等的试验．

请你带着下面的问题，复习一下全章的内容吧．

1. 举例说明什么是随机事件．

2. 在什么条件下，可以通过列举法得到随机事件的概率？

3. 用列举法求概率有哪些具体的方法？它们各有什么特点？

4. 简述用频率估计概率的一般做法．

5. 结合本章内容，说说你对概率的理解以及概率在实践中的作用．

复习巩固

1. 在单词 mathematics（数学）中任意选择一个字母，求下列事件的概率：

   (1) 字母为"h"；　　　　　　　(2) 字母为"a"；

   (3) 字母为元音字母；　　　　　(4) 字母为辅音字母.

2. 如图，两个相同的可以自由转动的转盘 A 和 B，A 盘被平均分为 12 份，颜色顺次为红、绿、蓝；B 盘被平均分为红、绿和蓝 3 份．分别转动 A 盘和 B 盘，A 盘停止时指针指向红色的概率与 B 盘停止时指针指向红色的概率哪个大？为什么？

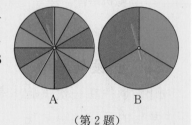

A　　　　B

（第 2 题）

3. 从一副扑克牌中随机抽取一张．

   (1) 它是王牌的概率是多少？

   (2) 它是 Q 的概率是多少？

   (3) 它是梅花的概率是多少？

4. 一天晚上，小伟帮助妈妈清洗两个只有颜色不同的有盖茶杯，突然停电了，小伟只好把杯盖和茶杯随机地搭配在一起．求颜色搭配正确和颜色搭配错误的概率各是多少．

综合运用

5. 某商场有一个可以自由转动的转盘（如图）．规定：顾客购物 100 元以上可以获得一次转动转盘的机会，当转盘停止时，指针落在哪一个区域就获得相应的奖品．下表是活动进行中的一组统计数据：

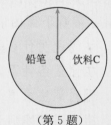

（第 5 题）

转动转盘的次数 n	100	150	200	500	800	1 000
落在"铅笔"的次数 m	68	111	136	345	546	701
落在"铅笔"的频率 $\dfrac{m}{n}$						

   (1) 计算并完成表格；

   (2) 转动该转盘一次，获得铅笔的概率约是多少（结果保留小数点后两位）？

6. 同时掷两枚质地均匀的骰子，求点数的和小于 5 的概率（结果保留小数点后一位）．

7. 一个批发商从某服装制造公司购进了 50 包型号为 L 的衬衫，由于包装工人疏忽，在包裹中混进了型号为 M 的衬衫．每包中混入的 M 号衬衫数见下页表：

M号衬衫数	0	1	4	5	7	9	10	11
包 数	7	3	10	15	5	4	3	3

一位零售商从50包中任意选取了一包，求下列事件的概率：

(1) 包中没有混入 M 号衬衫；

(2) 包中混入 M 号衬衫数不超过7；

(3) 包中混入 M 号衬衫数超过10.

8. 同学们，你们都知道"石头、剪子、布"的游戏吧！如果两个人做这种游戏，随机出手一次，两个人获胜的概率各是多少？

拓广探索

9. 把三张形状、大小相同但画面不同的风景图片，都按同样的方式剪成相同的三段，然后将上、中、下三段分别混合洗匀．从三堆图片中随机各抽出一张，求这三张图片恰好组成一张完整风景图片的概率．

10. 已知电流在一定时间段内正常通过电子元件 ▬ 的概率是 0.5，分别求在一定时间段内，A，B 之间和 C，D 之间电流能够正常通过的概率．（提示：在一次试验中，每个电子元件的状态有两种可能（通电，断开），并且这两种状态的可能性相等，用列举的方法可以得出电路的四种可能状态．）

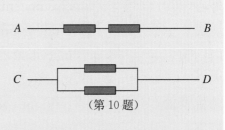

(第10题)

11. 鸟类学家要估计某森林公园内鸟的数量，你能用学过的知识，为鸟类学家提出一种估计鸟的数量的方法吗？（假定在一定的时期内，森林公园可以近似地看作与外部环境封闭．）

部分中英文词汇索引